新潮文庫

神様のボート

江國香織著

目次

神様のボート

1997・高萩《たかはぎ》

あたしが発生したとき、あたしのママとパパは地中海のなんとかいう島の、リゾートコテッジにいたのだそうだ。晴れた、風のない日で、二人はプールサイドで本を読んでいた。ママの読んでいたのは厚ぼったい推理小説で、パパのは短編集だった。一つ読みおわるごとに話しかけるのでうるさくて困った、と、ママは言う。

ママはシシリアンキスというカクテルをのんでいた。カクテルをつくるのはパパの役目で、パパのつくるシシリアンキスは「倒れそうに甘くて病みつきになる味」だったそうだ。グラスの液体はとろりとした琥珀色《こはくいろ》で、「午後の戸外の飲み物として、あんなに幸福なものはない」らしい。氷が日ざしをうけてみずみずときらめくのだそうだ。そうやって本を読みながら、パパはママの首すじに何度も唇をおしあてた。そのたびにそこが溶けそうになるくらい熱い唇だったとママは言う。あのひとの唇はいつだってそうだった、とも。

しずかで、他に誰もいなくて、空は心おきなく晴れていて、何ひとつ心配なことはなかった。

パパがママの首すじにひときわながいキスをしたとき、ママはがまんできずにためいきをもらし、とうとう本を置いてしまった。ママはパパの頭を抱き、パパはママの腰に腕をまわして、足に足をからめてぎゅうっとしめた。二人はからまったまま立ち上がり、くっついたまま部屋のなかに入ってベッドに倒れこんだ。

三杯目のシシリアンキスを半分のんだところだったの、と、この話をするたびにママは言う。

ママはしょっちゅうでたらめを言うけれど、あたしはこの話だけは信じている。どうしてだかわからないけれど、晴れた午後のそのプールサイドの風景を、あたしも憶《おぼ》えているような気がするのだ。部屋のなかに戻ったときのひんやりした空気も、ベッドのすぐ上の窓があいていたことも。

*

ここの海岸は砂が白い。夏の一時期はそれなりに賑《にぎ》わうのだろうけれど、いま時分はいつ来てもまるで人がいない。だいたい、町に人がすくないのだ。みんなが顔見知りという塩梅《あんばい》らしい。私はしゃがんで片手に砂をすくう。塩のかけらみたいに透明な粒がたくさんまざっている。砂を捨て、また立ち上がって歩きはじめる。この町にきて二カ月になるけれど、くる日もくる日も曇天だ。

きのう、草子《そうこ》の学校の個人面談があった。担任は女性で、草子を優秀だと言った。

――とても利発なお子さんですね。

どうもありがとう、と、私は言った。窓にはクリーム色のカーテンがかけられ、手前にずらりと棚がならんでいる。教室はがらんとして昼間から蛍光灯が白々しいあかりを投げ、まんなかの机を一つはさんで教師と向きあうのはなんだか滑稽《こっけい》だった。

――転校されてまだまがないからだとは思うんですが。

ベージュの口紅を塗った唇をくっきり微笑《ほほえ》ませながら、女性教師は言った。

――多少自分の殻にとじこもるようなところがみられます。

――殻に？

私は不思議な気持ちで訊《き》き返した。鳥じゃああるまいし。

教師はまじめな顔でうなずくと、

――ええ。でもそう御心配なさるほどのことじゃないと思います。まだ緊張がとけないだけでしょうから。

私はうなずいた。

——煙草《たばこ》をすってもいいですか。

——いいえ、ここでは。

教師は困ったような顔をした。

——ああ、ごめんなさい。

緊張がとけない？　私は黒板を眺めながら思った。無理もない。私だってさっきから緊張しているもの。

黒板には、11月19日、水曜日、日直、竹井、角田、とかかれていた。

私はくり色のフレアスカートの裾《すそ》をばさばさささばきながら、大きな歩幅で海岸を歩く。風がつよい。草子に借りたCDウォークマンは、玩具《おもちゃ》みたいにちゃちなプラスティック製だけれどちゃんときこえる。ロッド・ステュアートのかすれた声。十一月の海、午後二時の潮の匂《にお》い。ロッド・ステュアートは私のおまもりだ。イヤフォンから流れてくる曲をききながらハミングする。足元の木ぎれを拾って遠くに投げた。

アパートの人たちはみんなすこしかわっている。大家さんは気むずかしそうで、臙脂《えんじ》色《いろ》の縁の、へんな眼鏡をかけている。

きょうも波が高い。この町に住むことに決めたのは、この波のせいだといってもいい。

随分と立派な国民宿舎とカントリークラブが一つずつあるほかには見事になんにもない町なのだが、このあたりの海の、力づよい波はすばらしい。白い波頭の砕け散るさま。この町は水が豊かだ。道のあちこちから小さな音をたてて湧《わ》きでている。

私は歩くのが好きだ。

子供のころに何度も読んでもらったおとぎばなしの影響かもしれないが、私には、自分が森のなかで道を見失い、ぐるぐるとやみくもにさまよっているという感じがある。つねに。

散歩は、そのイメージにすこしでも近づくので安心がいくのかもしれない。

砂浜の端の岩によじのぼる。茶色いスウェードのフラットシューズはすっかりくたびれて——小指のあたるところはすりきれかけている——、私の足そのものみたいに足に馴染《なじ》みきっているので、岩の、ごつごつというにはときに鋭すぎるその感触が、あしのうらにはっきりと伝わる。波の音、潮を含んだ風。

散歩は一時間と決めているのに、油断するとすぐ二、三時間たってしまう。昔からそうだ。

——心配するじゃないか。

桃井先生によくそう言って叱《しか》られた。

——たとえばそうやって車の流れをみているときの自分がどんな顔をしているか、考えてみたことがあるかい？

散歩にでたまま帰らない私を迎えにきてくれて、桃井先生は眉根《まゆね》を寄せて言った。

――みいられたような、呆《ほう》けたような、飛び降り自殺でもするんじゃないかっていうような顔をしているんだよ。

あのころ私はよく歩道橋の上に立っていた。

――飛び降り自殺？　どうして私がそんなことをするの？

――僕にわかるもんか。

桃井先生は瘦《や》せて背が高く、白髪まじりの髪は随分後退していた。

私たちはかならず手をつないで帰った。

ピアノ教えます、という看板は、従姉《いとこ》の親友がかいてくれた。全体がうすい桃色で、いちばん下に鍵盤《けんばん》の絵がかいてある。文字と鍵盤の絵は濃紺だ。なかなかしゃれた看板で、気に入っている。

私の荷物はそんなに多くない。ピアノと看板と衣類のボストンバッグが一つ、それにエスプレッソメーカー。

エスプレッソメーカーは桃井先生に買ってもらった。当時は業務用の大きなものばかりで、家庭用の製品は普及していなかった。それをヨーロッパのどこかでみつけてきてくれたのだ。

桃井先生と別れて九年になる。草子は、だからもうすぐ十歳になる。

そろそろ帰らなくてはいけない。夕方はできるだけうちにいることにしている。草子が帰ってくるから。私の手帖《てちょう》——草子と二人で撮った写真シールが貼《は》ってある——には紙がはさまっていて、そこには一週間分の小学校の下校時刻がかいてある。

月曜　三時十分
火曜　四時半（園芸クラブがあるから）
水曜　二時十分
木曜　三時十分
金曜　三時十分
土曜　十二時十分（隔週）

掃除当番などで多少ずれることはあっても、草子はたいてい時間どおりに帰ってくる。

＊

うちに帰ると、ママが足をたらいのお湯につけて本を読んでいた。ママはすぐ手足がつめたくなるたちなので、よくそうするのだ。

「おかえりなさい」

あたしの顔をみると言った。

「ただいま」

あたしはかばん――ランドセルと刺繡《ししゅう》いりの手さげ。手さげは草加《そうか》に住んでいたとき近所のおばあさんがつくってくれたものだ。クリーム色の地に、ロバと、花を積んだ手おし車が刺繡されている――を下におろして、ママの本をのぞきこんだ。

「なにを読んでるの？」

ママは表紙をみせてくれた。

「ピアノの音」

あたしは題名を声にだして読み、

「ピアノの本？」

と訊いた。

「いいえ、小説」

ママはすごく短い髪をしている。ジュリエッタ・マシーナという女優さんとおなじ髪型なのだそうだ。あたしの髪は肩下五センチ。まっすぐに切り揃《そろ》えている。細くてコシがなくて量のすくないところがママの髪そっくりなのだけれど、パパに似ればよかったのに、と、ときどきママは残念そうに言う。あたしの髪をやさしくなでてくれながら。パパの髪は黒くて豊かですこしくせのある、とても健康な髪なのだそうだ。ママにいわせると、あたしは背骨がパパに似ているらしい。まっすぐで美しい背骨だとママは言う。さわってみればすぐわかる、とも。

「ああそうだ、これ、ありがとう」

ママがあたしのCDウォークマンを返してくれながら言った。今朝貸してあげたのだ。CDウォークマンはゆうちゃんとまゆみちゃんとちよみちゃんにもらった。お餞別《せんべつ》。転校が多いので、贈り物をもらう機会も多いのだ。あたしは三人に鉛筆をあげた。てっぺんに猫の人形のついた鉛筆。お友だちには手紙を書きなさいってママは言う。日本じゅうどこに引越しても、手紙は八十円でちゃんと届くんだからって。でもあたしは手紙を書くのがあんまり好きじゃない。手紙を書けば返事を待ってしまうし、待つのは、待ってもこないかもしれないと思うと不安なので嫌いなのだ。

いまいっている小学校は、あたしにとって三つ目の小学校だ。裏庭に半分埋まったタイヤの遊具があるところが気に入っている。

あたしは生後六カ月で旅にでた。勿論《もちろん》、正確にいえば旅にでたのはママで、あたしは連れてでられたのだけれど。

「あ。チョコレート」

台所のテーブルの上の箱が目に入ったのであたしは言った。

「一条さん？」

そう、と言ってママはうなずく。

「神戸に出張にいったんですって」

「ふうん」

一条さんは『デイジー』のお客さんで、ママのファンなのだ。どの町でも、仕事を始めて一カ月もすればママには二、三人ファンができる。ルールどおりのゲームみたいなものよ、とママはわらうけれど、ファンのなかには随分熱心なひともいる。ママには仕事の一部らしいけれど。

「手を洗ってうがいをしたらつまんでもいいわよ」

ママは昼間うちでピアノを教え、夜は『デイジー』で働いている。『デイジー』というのはバーの名前だ。ピアノだけじゃ生計がたたないのだ。なにしろ、ママの生徒は現在二人しかいない。会社を定年退職したおじさんと、中学校二年生の女の子だ。二人とも週に一日ずつ、午前中にレッスンを受けている。

あたしはいつでもピアノで遊んでいいことになっているし、ママは頼めばどんな曲でも弾いてくれるけれど、あたしはママのレッスンを受けていない。習うなら他の先生についた方がいい、とママは言い、あたしはそんなことしたくないのだ。あたしはママの弾くピアノが好き。バッハはとくに。

夕方、あたしが宿題をしている横で、ママはピアノを弾く。窓の外には小さな川と雑貨屋がみえる。ここはほんとうになんにもない町だ。今度はどのくらいいることになるのだろう。

夜ごはんは、焼いた鶏肉《とりにく》と温野菜だった。だされたぶんを全部食べてから、食後にフルーツ牛乳を一杯もらった。ママはあたしの食べるものにうるさい。

仕事にいくママを見送って、あたしは食器を洗うとしばらく絵をかいて遊んだ。花としまうまとガゼルをかいたところで隣のおばさんが柿を持ってきてくれた。あたしのクレヨンはいつも黒と白ばかり減ってしまう。

「いつも一人でえらいねえ」

おばさんはときどき果物や夜ごはんのおかずを持ってきてくれるけれど、ほんとうは点検しにくるのだ。

「ちゃんと戸じまりした？」

そう言って、ガス台にするどい一べつを投げる。

――心配性なのよ。

　と、ママは言う。

——悪い人じゃないわ。

でも失礼じゃないの、とあたしが言ったらママはすこし考えて、

——大目にみてあげなさい。

　とこたえた。

——でも食べ物はそのまま冷蔵庫にしまうのよ。賞味期限をすぎたお豆腐なんか使ってると困るから。

あたしはおばさんの柿を一切れだけ食べて、残りは冷蔵庫にしまった。

夜一人でいることには慣れている。ママはたいてい夜働く仕事についているから。

一度だけ、昼間だけの仕事をしていたことがある。でもそれはもう箱のなかだ。

箱のなか、は、ママとあたしだけに通じる言い方で、もうすぎたこと、という意味だ。

どんないいことも、たのしいことも、すぎてしまえばかえってこない。

——でもそれはかなしいことじゃないわ。

ママは派手な花柄のスカートをはいていた。

——すぎたことは絶対変わらないもの。いつもそこにあるのよ。すぎたことだけが、確実に私たちのものなんだと思うわ。

四年前、はじめて友だちのできた町から引越すのがいやで、泣いて文句を言ったとき

のことだ。

――すぎたことはみんな箱のなかに入ってしまうから、絶対になくす心配がないの。すてきでしょう?

あたしはときどきその箱を想像する。どんなかたちの、どのくらいの大きさの箱だろう。ふたはどうなっているだろう。何色の箱だろう。あたしには、その箱は派手な花柄に思える。ママのスカートみたいな。

あたしは基本的に十時に寝ることにしている。お風呂《ふろ》に入り、歯を磨いて、布団《ふとん》も勿論自分で――ママのぶんも――敷く。ずっとつけっぱなしになっているラジオを消して、目ざまし時計を七時にセットして、三人で布団に入る。三人というのはあたしとアリーとピンクのくまだ。ピンクのくまに名前はない。アリーは高さ十センチほどの、白いゴムでできたサイボーグで、右手にマシンガン、左手に大きな盾を持っている。もう随分前に、ママがゲームセンターでとってくれたのだ。あたしたちはもう何年も何年も一緒に寝ている。

ときどき位置移動をする。

位置移動というのはあたしの考えだした遊び。一時間ごととか二時間ごととか、時間を決めて目ざましをセットする。そのたびに起きて、寝る場所を入れかわるのだ。たとえばはじめは左からアリー、あたし、ピンクのくま、の順。最初の位置移動であたし、ピンクのくま、アリー。次に、ピンクのくま、アリー、あたし。そうやってぐるぐる寝る場所をかえる。おやすみの日はママも参加する。位置移動は四人でするとぐっとおもしろい。布団を二組使えるので、端と端がずっと遠くなるから。

いままでに住んだ町のうち、あたしがいちばん好きだったのは今市《いまいち》だ。あの町で、あたしたちはお風呂屋さんの二階に下宿していた。あたしはあそこではじめて日ざしの色を憶《おぼ》えた。朝風呂の窓、お湯の色、湯気の匂《にお》い。

スズキメソードがあったのも重要だったかもしれない。あたしたちの生活にとって。スズキメソードというのは音楽教室で、ママはそこでピアノと声楽を教えていた。フルタイムで。ということはつまり、夜は働かずにすんだのだった。あたしの記憶にある限り、ママが夜働いていなかったのはあの八カ月間だけだ。

あたしは毎朝七時に起きる。ママは夜おそいのでぐうぐう寝ている。朝ごはんはシリアルと卵にきまっていて、卵は自分で料理する。いちばん好きなのは半熟で、いちばんよくつくるのはいり卵。そのつぎは目玉焼き。

今朝は目玉焼きにした。お皿にとるときさみがこわれなかったので、一日のすべりだしは好調だと思った。きょうは体育で苦手ののぼり棒があるので、ついげんをかついでしまう。「アミアンみたいに曇りばっかり」だとママの言う高萩の町も、今朝はめずらしくお天気がいい。アミアンというのは北フランスの小さな町で、ママの言葉を信じるなら、年中曇り空なのだそうだ。

目玉焼きにはしょうゆをかけた。目玉焼きのいいところはいろいろなものをかけられるところだとあたしは思う。普段は塩だけれど、つけあわせにほうれんそうのバターいためがあるとき——というのはつまり週末、ママが朝ごはんをつくってくれるときっていうことだけれど——にはソースをかける。それからたまに、きょうみたいにしょうゆをためしてみることもある。

台所の窓から日ざしがおもいきりさしこんで、流し台の銀色を白っぽくしている。蛇口から、ぽたぽたではなくだだだっという音をふいにたてて水が不規則に落ちる。ママとあたしの、このうちの、朝。

たべおえると食器を流しまで運び、歯を磨いてくつ下をはく。仕度ができたらママの寝ている部屋にいき、いってきますを言うことになっている。ママは布団から両腕をだし、あたしの髪をなでてくれる。それから頭全体をぐっと抱きしめて、いってらっしゃい、と、眠そうなかすれ声で言うのだ。

ところが、きょうはいつもの時間になってもそうできなかった。はくつもりだったたくつ下がみつからなかったのだ。あたしは抽《ひ》き出《だ》しを底までまぜ返して探した。くつ下の抽き出しだけじゃなく、ほかの抽き出しも。洗濯物をいれる籠《かご》のなかも、洗濯機のなかも。まぎれてしまったのかもしれないと思い、ママの抽き出しも探した。ママの抽き出しは大きくて、あけるとがたがた音がする。

「なにしてるの?」

ママが布団のなかから声をだしたとき、部屋のなかはまったくひどいありさまだった。

「くつ下がみつからないの」

仕方なくあたしは言った。

「白くて、いちばん上がぴらぴらってなっているやつ。ほそーい紺色の縁どりのある」

「べつなのをはいていけばいいでしょう」

ママは言い、布団から片手だけだして、その細い白い腕をいいかげんにひらひらと動かした。

「あれがいいの」

あたしは主張した。きょうはいているずぼんは丈がすこし短いので、歩くたびに足首がよくみえるのだ。あたしは思いついてベランダにでてみたが、まるいピンクの洗濯物干しは空っぽだった。

「しょうがないわねえ」

ママは、起きあがると布団の上にかけてある厚ぼったいカーディガンを羽織った。朝のママはすごく顔色が悪い。

「寒」

ママはすぐくつ下をはいた。片手で顔をこする。

「白くてふちがぴらぴらのやつね」

ママが探す場所も、あたしが探した場所とおなじだった。抽き出し、洗濯物籠、ベランダ。いつも八時五分に家をでるのに、もう八時十五分になっていた。

「白くてふちがぴらぴら、白くてふちがぴらぴら」

探しながら、ママは呪文《じゅもん》のようにくり返している。寝室は窓も襖《ふすま》もたてきってあるのでうす暗い。ママの背中をみながら、だんだんあたしはかなしい気持ちになってしまった。

「いいや。べつのはいてく」

水色のくつ下を選んだ。

「いいから待ちなさい。ないわけないんだから」

ママは言ったが、あたしはくつ下をはき、ランドセルをしょって、草加のおばあさんにもらった手さげを持った。

「遅刻しちゃうから」

ママはあたしの顔をみて、仕方がなさそうに眉毛《まゆげ》をもちあげてみせる。じゃあそうすればいいわ、と、表情だけで伝える。

「いってきます」

あたしは運動ぐつをはいた。下駄箱《げたばこ》の上には二年生のときにつくった粘土細工が飾ってある。

「いってらっしゃい」

玄関に立ったママは寒そうに腕を組み、あたしがドアをあけるとまぶしそうな顔をした。

「ほんとにいいお天気ね」

「うん」

おもての空気はつめたくひきしまっている。

「いい一日をね」

いつものようにママが言い、

「ママもね」

とあたしもこたえてドアをしめた。廊下の端を、隣のおばさんがゴミ袋を持って歩いていくのがみえる。

木曜日。体育はのぼり棒。

くつ下は、洗濯機と壁のすきまに落ちているのを、あとからママがみつけてくれた。

初雪

仕事場には自転車で通っている。私は東京育ちなので、旅にでてからの九年間、東京以外の町のしずけさや厚みに戸惑うことも多いのだけれど、自転車という乗り物に関していえば、東京以外の町で乗る方がずっといい。人も車もすくなくて道が広く、風にちゃんと草や木の匂《にお》いがする。とくに帰りみちはいい。もう深夜なので、あたりに人っこひとりいない。夜空で星の凍っているその暗い道を、私は衿巻《えりまき》をなびかせて帰る。ときには腰を浮かせ、高校生の男の子みたいな気持ちになって、全速力でペダルを踏む。

『デイジー』は小さな店だが、女主人とバーテンのほかに、私と、まほちゃんという女の子が働いている。私は三十五でまほちゃんは二十九だけれど、店では無論それぞれすこしずつ若いことになっている。

今度の店は働きやすい。もっとも、自慢ではないが、私はこれまでのどの店でも、トラブルをおこしたり途中で――というのはつまりその町を離れるより前に――辞めたりしたことはない。

でも桃井先生にいわせると、ある場所で浮かないこととある場所に馴染《なじ》むこととは全然別であるらしい。

――きみは馴染まないね。

先生によくそう言われた。浮かないけれど、馴染みもしない。それは悪いことではないけれど、ときとしてまわりの人間を孤独にするそうだ。

自信のあることがある。

接客よりもむしろそのことで、私はどの店でも重宝がられるのだと思う。それは掃除で、なかでも雑巾《ぞうきん》がけの丁寧《ていねい》さと効率のよさにはかなり自信がある。たとえばまるい重たいスツールの底面も、一つずつさかさまにしてきちんと拭《ふ》く。害虫駆除剤をたいたあくる日の掃除もそうだ。そういう日は店に最初に足をふみ入れるのをみんないやがるが、私はある種の期待というか闘志が湧《わ》いて、いつもよりもすこしはりきって出勤する。

店は二時までだが長尻のお客さんがいればわりと融通をきかせるので三時になることもある。逆にお客さんがみんな十二時すぎに帰ってしまってあとは暇ということもある。

店をしめたあと、私とまほちゃんはたいていコーヒーを一杯ずつのんで帰る。目がさめてすっきりするからだし、それからそれぞれの場所に帰るために、頭をきりかえる意味もある。

まほちゃんは恋人とすんでいる。

「貢《みつ》がせてもらってます」

いつかそう言って笑っていた。きれいな子で、左手に、きゃしゃな金鎖のブレスレットをつけている。恋人にプレゼントされたものだそうだ。

「十七のときに駆けおちしたの」

きょうはそんなことを話した。

「親をいっぱい泣かした」

まほちゃんは、笑うときすこし首をかしげる。

コーヒーはインスタントで、私はすごく濃くいれてのむ。まほちゃんはうす目を好み、砂糖も牛乳もほんのすこしずつ入れる。

「葉子さんの親は？」

まほちゃんに訊《き》かれ、私は首をかしげた。

「さあ。もう随分会ってないから」

まほちゃんは、そう、とだけ言って、とてもやさしい、いたわるような気配の笑顔をみせた。

そして、私はいま、夜風をきって自転車をこいでいる。草子の待つ我が家へ。

うちに帰ると、草子はいつものように人形を二つ布団《ふとん》に持ち込んで寝ていた。寝顔をみると、私はついすいよせられるように隣に横になってしまう。眠っている子供のつくりだす、わずかに湿度の高い空気。額に触れると、自分の指のつめたさにおどろく。それでも草子は眠りの深いたちで、ぴくりとも動かない。規則正しい小さな寝息。私はかじかんだ指で、何度も草子の前髪をかきあげる。草子の額の骨の感触は、あのひとのそれにそっくりだ。

こういうとき、私は時間がとまってしまったような気がする。草子と二人、夜のなかに永遠にとじこめられてしまうような気がする。夜はながい。はてしなくながくて、なにもかものみこんでしまうくらいしずか。昔からそうだ。そして、私は夜が嫌いではない。桃井先生と暮らしていたときも、先生は早寝だったけれど、私は夜ふかしをしていた。

草子が生まれたのも夜だった。ほとんど明け方にちかい夜。私は病院にいて、病室は四人部屋だったがベッドは二つ空いていた。ギャザーの寄った白い布の仕切りと壁にはさまれたその小さなスペースは、しずかで清潔で奇妙に居心地がよかった。窓の下には駐車場がみえた。枕元《まくらもと》には読みかけの本と氷水の入った吸いのみがあった。

陣痛の間隔はちゃんと狭まった。私は一人だった。

うちで、桃井先生が眠らずに待っていることは知っていた。気を揉《も》んで、本の整理を始めてはまたやめたりして、丁寧にいれた紅茶を手つかずのままつめたくしてはまたいれかえたりして、待っていてくれることは知っていた。それでも私は一人だった。夜ははてしなくながかった。

陣痛のあいまにうとうとすると、きまってあのひとの夢をみた。何度でも。夢のなかで、あのひとは笑っていた。

きれいな額の骨。

夢のなかで、そのたびに私はそう思った。何度でも。

草子は三時五十分に生まれた。小さな赤ん坊で泣き声もかぼそかったが、あとすこしのところで保育器はまぬがれた。

月のない五月の夜で、星だけがあかるく光っていた。白いカーテンのさがった小さな窓の向うで。駐車場の上空で。

草子が布団のなかでもそもそと動いた。

「ママ？」

うすく目をあけて言う。

「ごめんなさい。起こしちゃったわね」

私は言い、寝ている草子におおいかぶさるように抱擁をした。

「ただいま。怖いことはなにもなかった？」

草子は私の首に腕をまきつけて、おかえりなさい、と言ったあと、

「なんにも」

とこたえる。

「アリーがいるから」

私は、娘の顔の横に置かれたちっぽけな人形に微笑《ほほえ》みかけた。

「そうだったわね」

アリーはゴム製のサイボーグだ。背中にジェットエンジンのようなものをしょっていて、ものものしく武装している。

首にからまった腕をほどくと、草子はすでに寝息をたてていた。小さな爪《つめ》を、すべてうすいピンクに染めている。おそらくサインペンだ。私は娘の肩に布団をかけなおし、立ちあがって洗面所に化粧をおとしにいく。

＊

りか子ちゃんとは体育の時間に親しくなった。あたしもりか子ちゃんものぼり棒が苦手。のぼり棒は、校門を入ってすぐ左手、校舎からいちばん遠い端にある。

――腕の力かな。

あたしが言うと、りか子ちゃんは眉間《みけん》にしわを寄せて男子ののぼる様子を観察しながら、

――手のひらと足のうらの力だと思う。

と言ったのだった。りか子ちゃんはおかっぱで、かばんにミュウのキーホルダーをさげている。

あたしたちは、昼休み、給食がおわると裏庭に駆けていってシーソーにのる。毎日。裏庭にはほかにタイヤの遊具と、焼却炉とクローバーの咲く場所がある。どういうわけかあたしは裏庭が好きで、いままでに転校したどの学校でも裏庭で遊んだ。

――じゃあお母さんと二人なんだ。

きょう、シーソーにのりながらりか子ちゃんは言った。

――動物は飼ってないの？

――飼ってない。

シーソーは、下におちる瞬間より上にあがる瞬間の方がおもしろい、とあたしは思う。上にあがるときは自分で地面を蹴《け》るけれど、下におちるときはなんにもしないでおちちゃうから。

――ふうん。うちは猫を飼ってるよ。

思いきり上にあがった瞬間の、おしりがぴょんと跳ねちゃうのがおもしろくて大好き

だ。

――なんていう名前?

ぐー、と、りか子ちゃんは言った。

――ぐー?

――そう。ぐー。

へんな名前、とあたしは思った。お父さんがつけたのだそうだ。

地面を蹴る。板ごと上に持ちあがる。りか子ちゃんがしたについた瞬間に、がくんと上昇がとまってあたしのおしりが小さく跳ねる。シーソーは、くもりの日にするのがいちばんおもしろい。

始業五分前のチャイムが鳴った。チャイムというのは、どこの学校でもまのぬけた音だ。

――今度遊びにいっていい?

シーソーからおりると、りか子ちゃんが訊いた。

学校から帰ると、ママはピアノを弾いていた。平均律だ。どっちみち音はアパートの外までもれてしまうし、ママのピアノは力強いのですぐにわかる。

「ただいま」

かばんを置き、手を洗ってうがいをした。

「おかえりなさい」

ママはピアノの前にすわったままあたしの肩を抱きしめて、ほっぺたに自分のほっぺたをつける。

「つめたい」

にっこりわらって言う。

「あ、そうだ、おしらせ」

あたしはかばんをごそごそとさぐった。学校からのおしらせや採点済みのテスト、ごふけいへの手紙なんかをだしそびれると、ママはすごくおこる。

「きょうはなにかおもしろいことがあった？」

ママは訊き、煙草《たばこ》に火をつけると、コーヒーをいれに台所に立った。

「べつになんにも」

はいおしらせ、と言って紙きれを渡し、あたしはテーブルの上にあったチョコレートをつまんだ。たぶんまたお客さんにもらったのだろう。ママにいわせると、ママは煙草とコーヒーとチョコレートで栄養をとっている。

「スキー教室?!」

ママが頓狂《とんきょう》な声をだし、それから黙ったのであたしは身構えた。こういうときは要注意なのだ。

「だめよ。絶対にだめ」

ママの顔はこわばっていた。

「そんなあぶないことはだめ。おねがいだからやめてちょうだい」

あたしはチョコレートをのみこんで、ゆっくり——慎重に——説明しようとした。

「ちゃんとインストラクターがいるんだって。もちろんそのほかに先生たちも一緒だし」

「だめよ。絶対にだめ」

説明をさえぎって言い、ママはあたしを抱きしめた。一、二、三、四、五秒間、たっぷり。シャンプーと煙草、それに香水のまざりあったママの匂《にお》いがする。

「わかったから」

仕方なく、あたしはママの腕のなかで言った。

「わかったからはなして。スキーにはいかないから」

ママはもう一度力をこめてあたしを抱きしめて、それからようやく手をはなしてくれた。たちまち目と鼻を赤くしている。ママは涙もろく、泣きそうになると鼻が赤くなるのですぐわかるのだ。

「ごめんね」

叱《しか》られた子供みたいな表情でママは言う。

「いいよ、べつに。そんなにいきたいわけじゃないから」

あたしは言い、ママが指にはさんだままの煙草をみた。ママと暮らしていると、こういうことはときどきおこる。

「灰が落ちちゃってるよ」

ママはまず手にもっている煙草をみて、床をみて、かまわないわ、と、低い声で言った。エスプレッソメーカーが、こぽこぽと音をたてている。

＊

「でもまさか信じてるわけじゃないでしょう?」

小さなおしりをスツールにのせ、ぐるぐる動かしながらまほちゃんが訊いた。ゼブラ柄のミニスカート、床につきささりそうに細いハイヒール。

「十年も前にいなくなっちゃった男と再会できるって、本気で信じてるわけじゃないでしょう?」

店には、きょうからクリスマスツリーをだした。小さな、つくりもののもみの木だ。私はコーヒーを啜《すす》り、返事のかわりに微笑んでみせる。まほちゃんは、細い眉《まゆ》をはげしくもちあげておどろいたゼスチュアをしたけれど、おどろいてなどいないことは無論あきらかだった。カウンターに頬杖《ほおづえ》をつき、細いハッカ煙草に火をつける。ここではすべてが物語としてしか語られないし、物語というのはおどろいたりあきれたりするためのものじゃない。

「困ったひとですねえ」

かたちのいい唇をすぼめて、煙を一気にまっすぐに吐く。長くのばした爪の一つに、小さなテディベアがついていた。首にあかいりぼんを巻いた、あかるい茶色のテディベア。

「かわいいでしょ」

まほちゃんは私の視線に気づき、すこし嬉《うれ》しそうに言った。

「ネイルシールなの」

膝《ひざ》の上で小さなバッグをあけ、一枚とりだしてみせてくれる。

「葉子さんも貼《は》ってみる？」

私は笑って首をふった。

「遠慮しとくわ」

私の手はピアノ用なので爪を短く切り揃《そろ》えているし、指もごつごつしていて関節が太い。

「でも一枚もらってもいいかしら」

サインペンでピンク色にぬりつぶされた、草子の小さな爪を思いだして私は言った。

翌日、風邪気味だったので、午後は散歩をやめて本を読んですごした。黄色い背表紙の文庫本はもうすりきれるほどくり返し読んだ。昔、草子の父親に贈られたものだ。

「これからは頭は帽子をかぶるためだけに使うんだ」

主人公がそう言うところまでくると、私はいつもかなしくなる。

まほちゃんにはあきれられてしまうだろうけれど、私はあのひとを疑ったことがない。絶対にみつけてくれると約束した。私がどこにいても、なにをしていても、絶対にさがしだしてくれると。

そう言ったときのあのひとの目をみたら、誰にだってわかると思う。信じなくちゃいけないということが。たとえそれが叶《かな》えられない約束でも、私は生涯あのひとを疑ったりしないだろう。

＊

ゆうべママは一晩じゅう咳《せき》をしていた。よく眠れなかったらしく、あたしが起きると、もう起きてコーヒーをのんでいた。熱はないけれど、咳のしすぎで腹筋が痛いのだそうだ。

「私にも腹筋なんていうものがあったのかと思うとおどろくわね」

ぼそっと不機嫌そうにママは言う。

でも、朝ごはんはりんごつきだった。「たまに早く起きたから」、ママがむいてくれたのだ。りんごはうさぎになっていた。

「転校ってどきどきする?」

シーソーにまたがって、鉄の握り棒の向うにパンツをのぞかせながら、りか子ちゃんが訊いた。きょうのりか子ちゃんは、紺色のジャンパースカートをはいている。

「そうでもない」

あたしは嘘《うそ》をついた。新しい学校にいくのはばかみたいにどきどきする。前の晩はこわくてなかなか眠れないし、朝起きてもなんにも食べられない。校庭も下駄箱《げたばこ》も廊下も職員室もきまってすごくいやな感じで、あたしはこの学校に絶対なじめないっていう確かな予感がする。いちばんいやなのは壁に貼ってある絵入りのポスター――石けんで手を洗いましょう、とか、廊下を走らないように、とか――で、あれをみると、あたしは自分が完全によそものだって感じる。

「ふうん」

　りか子ちゃんは言い、横を向いた。

　新しい学校にいくとき、あたしは自分にいいきかせる。べつに学校になじまなくてもいい。お友だちをつくらなくてもいい。何度も何度もいいきかせているうちに、それがとても正しいことだってわかるので、そうするとあたしはとても安心できる。どんなに知らない学校にもいける。

　裏庭は日陰が多い。校舎のきわはとくにいつも日陰で、空気が湿ってひんやりしている。草や苔《こけ》もはえてる。始業五分前のチャイムが鳴って、みんなが教室に戻ったあと、あたしはそこに一人で立って、背中を校舎にぴったりつけて目をつぶる。つめたい土と、白くてざらざらの壁の匂いを深くすいこむ。ほんのしばらくのあいだ。

　それから授業にまにあうように、走ってあたしも教室に戻る。


　――どうしてこんなに引越しばかりするの？

　ママにそう尋ねたことがある。草加から引越すときだった。だってあたしはあのときすでに、六歳にして六度目の引越しだったのだ。最初の二度はまだ赤ん坊だったから、記憶にはないけれど。

　――引越しはいや？

ママはピアノの前にすわって、右手に鉛筆、左手に煙草をもっていた。鉛筆も煙草ももったまま、あたしを膝に抱きあげて訊いた。

——ここが気に入ったの？

あたしは黙っていた。なにがいやなのか、どうしたいのか、自分でもわからなかったから。

——どうして？

仕方なくもう一度訊いた。

——どうして引越しばかりなの？

ママはあたしの髪に何度も唇をつけながら、

——ママも草子も、神様のボートにのってしまったから。

と言ったのだった。

——神様のボート？

訊き返したけれど、それ以上の説明はしてくれなかった。

——そう、神様のボート。

そう言ってあたしを膝からおろし、この話はそれでおしまいになった。

十二月の最初の月曜日、ママとあたしはパパのお誕生日のおいわいをした。ママは普段お酒をのまないけれど、毎年、この日だけは赤いワインをのむ。あたしもすこしのむ。それからママがピアノをひいて、二人でハッピーバースデイを歌う。

あたしたちは、一年に四回お誕生日をおいわいする。ママのと、あたしのと、パパのと、桃井先生のと。桃井先生というのはママのもとのだんなさん。音楽大学の先生で、笑顔がしずかでやさしくて、「すばらしく正確にバッハをひいた」とママは言う。あたしが生まれてから旅にでるまでの六カ月間、父親がわりをしてくれたひとだ。

「写真をとるからここにきて」

ママが言い、あたしはいわれたとおり、すわっているママの前に立つ。あたしたちはくっつきあって、オートシャッターにしてあるカメラのレンズをみる。じーっという音、点滅するランプ、ぱしゃっというなにかとりかえしのつかないような断定的な音と、その瞬間に光るフラッシュ。あたしたちの笑顔がとじこめられる。

ママは、パパの誕生日にあたしの写真をとることに決めている。いつかパパにみせてあげるのだそうだ。毎年毎年すこしずつ大きくなるあたしと、ちっとも年をとらない（ママの言葉だ。もちろん）ママの写真を。

あたしはパパのことを考える。でも、パパについてあたしが知っていることはそんなにない。名前と生年月日、十年前の身長体重、黒くて豊かですこしくせのある、健康な髪をしていることと、骨があたしに――あたしがパパに？――似ていること、カクテルをつくるのが上手で、二日ヒゲをそらなかった三日目の顔が「すばらしくセクシー」なこと、くらいだ。そうしてそのどれ一つとして、あたしが自分でたしかめたことじゃない。

ママがパパの誕生日に毎年つくる玉ねぎだらけのローストビーフはおいしいけれど、でもほんとうのことをいうと、あたしはこの日があんまり好きじゃない。あたしやママや、桃井先生の誕生日の方が好き。

「ケーキを食べる？」

ママがあたしのほっぺたにキスをして訊いた。

「食べるっ」

あたしはこたえ、台所にお皿をとりにいく。ラジオから、英語の天気予報が流れてくる。

どうしてだかわからないけれど、パパの誕生日はいつもすこし淋《さび》しい。そうしてそれは、ママがすこし淋しそうだからじゃないかとあたしは思う。

*

離婚したいと言ったとき、桃井先生はおどろかなかった。

——すまなかったね。

ただひとこと、そう言った。私は草子について告げるべきではなかったのだ。もうじき子供が生まれると、言うべきではなかった。無論、いまじゃあとの祭だけれど。

草子の寝顔をみながら、私は一人でワインの残りをのんだ。あのひとの誕生日。ずっと昔、よくあのひととお酒をのんだ。あのひとは、どんなお酒もきれいな動作で、すうっとしずかに身体《からだ》に入れた。私はその液体があのひとの喉《のど》や胸を通り、胃にまっすぐおちるところを想像したものだ。きっと正しい栄養になる。あのひとはそういう風にお酒をのんだ。

私たちは昼間でもかまわずお酒をのんだ。あのひとの仕事場である楽器屋の奥で。そこはたてに細長い、ほとんど通路と呼びたいような狭さの店で、ギターを中心に扱っていた。奥に小さなカウンターがあり、私たちはそこでお酒をのんだ。カウンターはショウケースになっていて、そこにはピアニカやハモニカ、カスタネットが入っていた。日が入らないので昼間でもうす暗く、冬は足元に小さな電気ストーヴが置いてあった。

私たちはそこでワインをのんだ。二人で一壜《びん》あけてしまうこともあった。そして、音楽について話した。私はたとえばビートルズについてくわしくなり、あのひとはたぶんバッハについて、すこしくわしくなったと思う。

深夜にはもっと深酒もした。おばさんが二人でやっている煮込み屋とか、地下に降りるスペイン料理屋とか、「東京一うまい」と看板に書いてある腸詰め屋とか。私たちはよく夜明けまでのんだ。夜明けの路上でキスをして、千鳥足でうちに帰った。

ここが知らない町ならいいのに。

私はいつもそう思った。ここが知らない町で、この町のどこかに、私たちの帰る家があるのならいいのに、と。

そんな私たちを、桃井先生は最低の酔っ払いと呼んでいた。恥知らずで無知で不幸な、最低の酔っ払いだと。

私は窓をあけ、いま自分のいる場所が、どんな夜に包まれているのかたしかめる。小さな川と雑貨屋と電信柱がみえる。電信柱には、文とかかれた帯。草子の通っている小学校のことだ。

草子はクリーム色のネルのパジャマを着て、足の親指の爪《つめ》にテディベアを貼って眠っている。私は窓枠に腰掛けたまま自分の足指を見おろした。右の親指の爪にテディベアがついている。さっき草子が貼ってくれたのだ。

——おそろい。

嬉しそうに、草子はそう言った。

私はコップのワインをのみほして窓をしめる。風は肌にささるくらいつめたかった。あしたあたり、初雪が降るのかもしれない。

日曜日

きゅうりとうどと、なんでも好きなくだもの。空は晴れて、風はやわらかく、財布の中には千五百円入っている。

春になり、あたしは四年生になった。四年二組。担任は変わらず、クラブ活動も変わらず園芸部で、四年生から始まる委員会活動は体育委員になった。体育委員の仕事というのはあんまりなくて、体育の授業の前にみんなを二列横隊にならばせること——でも実際は、みんな勝手にならんでくれる——と、体育倉庫から用具をとってくることの二つだ。

きゅうりは六本一山三百二十円のと、三本二百八十円のとあってちょっと迷った。六本の方が安いけれど、ママとあたしじゃ、たぶん全部食べられない。うどは、白い太いよさそうなのがあった。なんでも好きなくだもの、はいちごにした。

「いつもえらいね」

おつりを渡してくれながら、八百屋のおじさんが言った。

りか子ちゃんとは「親友の誓い」をたてた。

「親友の誓い」というのは、
一、うらぎらない(秘密をまもる)。
二、休み時間のたびに、かならずなにか、ひとことでもいいから言葉をかわす。
三、一緒に帰る。
四、毎朝お互いに相手に会うまでは笑わない(他のひとにおはようと言うときもまじめな顔で言う)。だからどちらかが学校を休んだ日は、もう一人は一日じゅう笑ってはいけない。
五、算数の時間はシャーペンをとりかえて使う。
というもの。新学期が始まってからの二週間、ちゃんと実行している。

ママのピアノの生徒が一人ふえた。二十六歳の主婦だ。東京から越してきたばかりで、高萩の町に「倦《う》んでいる」。彼女のレッスンは土曜日の午後なので、レッスンのあと、ママとお茶をのみながら話しているのをきいてしまったのだ。

――うんでいるってなに?

夜になって、ママとお風呂《ふろ》に入っているときに訊《き》いた。

――うんでいる?

うすっぺらい浴用タオルで身体《からだ》を洗いながらママは訊き返した。ママの身体は白くてきれい。まあるい胸も、お腹《なか》から腰にかけてのすべらかな線も。

――そう。昼間新しいひとが言ってたでしょ、この町にうんでたところなんです、って。

――ああ。

ママは言い、身体にざぶんとお湯をかけて泡を流した。

――退屈しているってこと。退屈して、あきあきしていることをいうのよ、倦んでる、って。

やっぱりね、とあたしは言った。湯舟のなかで、片手で何度もお湯をすくっては落としながら。やっぱりね、そんな感じの言葉だと思った。

ママは笑った。お風呂場はママのボディシャンプーの、甘いバニラの匂《にお》いがしていた。あたしとママはそれから湯舟に一緒につかり、五十数えてあたしだけ先にでて、牛乳をのんで寝たのだった。

お風呂あがりに牛乳をのむのはきまりのようになっている。ママは自分は牛乳が嫌いなくせに、あたしには毎日牛乳をのみなさいと言う。牛乳は体にいいし、あなたは牛乳が好きなはずだからって。パパは牛乳が好きだったらしい。ナンセンスだ。でも、不思議にあたしは牛乳が好きだ。お風呂あがりはとくにおいしい。胃や肺や心臓や、体じゅうにすーっとしみこむ感じがする。

アパートにもどると、入口のところで大家さんに会った。

「こんにちは」

と挨拶《あいさつ》すると、大家さんはうどのつきでたビニール袋に目をとめて、

「あら草子ちゃんおつかい？　えらいわねえ」

と言う。あたしは返事に困ってしまう。おつかいなんてべつに全然えらいことじゃないって、あたしもママも知っているから。

アパートの庭には、いまれんぎょうがたくさん咲いている。

＊

春は嫌いだ。なんとなく憂鬱《ゆううつ》になる。植物ばかりが元気なのも気に入らない。

上田商事自動車部品で飼われているらしい猫は、私が通ると必ず私の顔をみる。眠っていてもわざわざ目をあけてじろりとみる。上田商事自動車部品はふるい木造の建物で、全体に白いペンキが塗られ、正面のガラス戸はいつも開け放たれている。すぐ隣に駐車場があり、猫はそこにいるのだった。

「なによ、なにか用事なの」

私は言い、猫をじろりと見返してから通りすぎてやった。いい天気の日曜日。バスで二十分ほどの場所にある図書館から、きょうは本を三冊借りてきた。全部推理小説だ。

旅にでるまで私は図書館というものを利用したことがなかったが、利用してみるととてもいいシステムだ。まず持ち物がふえない。これは大事なことだ。私はもともと物を持つのが苦手なのだが、大学を卒業するころからますますその傾向が強まった。物は、持つより捨てる方がずっと楽だ。

——それはつまり、生活に責任を持ちたくないということかな。

桃井先生に、ときどきそんな風に問いつめられた。

——いつまでもふわふわしていたいということかい？

たしかに、何かを所有することで、ひとは地上に一つずつ縛りつけられる。

この町の図書館は横にながいコンクリートの建物の一角にあり、小さいけれど感じがいい。私は車に乗らないけれど、車で乗りつけられるように、だだっぴろい駐車場もある。新しい本はリクエストしてしばらく待てば入ってくるし、借りた本がつまらなくても、買った本がつまらなかったときほどにはしゃくにさわらないですむのも、図書館のいい点だと思う。

今朝草子と朝ごはんを食べているとき、玄関のチャイムが鳴った。ドアをあけると小柄で小太りの男の人が立っていて、見憶《みおぼ》えのない人だったので戸惑っていると、草子がうしろから、

——高田さん！

と言った。

——高田さん？

私はきょとんとしてしまったが、「高田さん」は草子をみてほっとしたようで、私にむきなおると、

——あの、これ、煮たのでどうぞ。

と言った。金時豆だった。小鉢にはラップがかけられ、そのラップは蒸気でくもっていて、受けとるとまだあたたかかった。

草子によると、高田さんは上の階の人らしい。ひとりぐらしだという。朝から豆を煮るなんて、よほど勤勉なのか暇なのかのどちらかだろう。私はお礼を言い、ドアをしめた。

春は嫌いだけれど春風は悪くない。私はすこし遠まわりをして、線路ぞいの砂利道を歩く。散歩のいいところは、すぐに孤独になれるところだ。

うちに帰ると、草子は台所のテーブルで絵をかいていた。「ディズニーランドの絵」だという。五月の連休につれていく約束をしているのだ。

「力作ね」

私は冷蔵庫をあけ、草子の買物をたしかめながら言った。画用紙には色とりどりのクレヨンで、白雪姫の小人と思われる人々が描かれている。

＊

午後、ママの弾くピアノを聴きながら宿題をした。計算ドリルと白地図《はくちず》の色分け。ママはきょう、ポピュラー音楽ばかりを弾いている。

思いだすのは、たとえば今市のまことくんのこと。まことくんはあたしとママが下宿していたお風呂屋さんの子で、あたしより一つ歳上《としうえ》だった。二人兄弟の上で、でも弟はまだ生まれたばっかりで、だからまことくんの遊び相手にならないのだった。まことくんはジュウレンジャーの人形や、ピンクのボールや電車のおもちゃを持っていて、どれでも貸してくれた。

それからたとえば草加のおばあさんのこと。入学祝いに手さげを縫ってくれたおばあさんだ。娘夫婦と同居していて、でもその娘とは折り合いが悪かったらしい。折り合いが悪い、は、あの町でおぼえた言葉だ。あたしたちが引越しの挨拶にいくと、おばあさんは涙ぐんでいた。

そのあと川越《かわごえ》に住んだ。アパートの隣の部屋の人が、毎日かならず夜中に洗濯をして、廊下に置いてあるその洗濯機の音と震動が怖かったこと以外、いやな思い出はない。近所に駄菓子屋さんが何軒もあったし、小学校にはうさぎがいた。

いちばん嫌いだったのは高崎で、今市の前に二年間住んだ。まだ小さかったのであまりよく憶えていないのだけれど、あたしは保育園にあずけられるのが嫌で、ママがいってしまうと毎回かならずめそめそ泣いた。昼寝の時間によく一人だけ目をさまし、起きていてはいけないような気がしてどきどきして、どきどきしながら無理にじっとしていた。部屋のなかが暗くて、窓の外はばかみたいにあかるかった。あたしはそこにじっとして、よその子の寝息をきいていた。

「あ。クロス・トゥ・ユー」

この曲はあかるくてきれいなので好きだ。ジャストライクミー、ゼイロングトゥビー、クロストゥユー、というところだけは歌えるので、ピアノがそこにさしかかると、あたしは宿題を中断してママのそばにかけていき、ピアノにあわせて歌った。歌いおわると、ママは拍手をしてくれる。

高崎の前のことは憶えていない。前橋と、天津小湊町《あまつこみなとまち》というところに、それぞれ一年ずついたはずなんだけど。

――ママと草子は旅がらすよ。

ママはよくそう言って笑う。

――おもしろそう。

旅がらすの話をするとりか子ちゃんは目をかがやかせたけれど、旅がらすじゃないのとくらべておもしろいのかどうか、あたしにはわからない。あたしは生まれてからずっと、旅がらすしかやったことがないから。

どっちにしても、と、あたしは色鉛筆のうしろをかみながら考える(色鉛筆のうしろは、かむとじゅわっと木の味がしておいしい。ママにみつかると叱《しか》られるけど)。どっちにしても、ママもあたしも旅がらすをやめることはできないのだ。パパに会うまでは。

＊

二時間ほどピアノを弾くと夕方になったので、草子と海にでかけた。仕事のない日の夕方は、いつもそうすることにしている。草子はちょうど宿題をおえたところで、ピンクのくまをつれていくと言った。

一日じゅう穏やかに晴れた日だったけれど、海はきょうも波が高い。私は嬉《うれ》しくなった。凪《な》いだ海より荒れた海の方が好きなのだ。風がつめたい。岩のそばにいくと、大きな波がきたときに、砕けたしぶきが降ってきてすてきだ。国道六号線ぞいに、白砂の海岸がまっすぐ続いている。私たちは波うち際《ぎわ》を歩いた。草子は、極細のながい枝をどこからかめざとくみつけてきて、それをひきずりながら歩いている。片腕でピンクのくまをしっかり抱いて。

「向うの端まで歩く？」

私が指さして訊くと、草子はすこし考えて、

「遠いよ？」

と言った。

「平気よ」

私は笑って、かまわず先にすすむ。潮風にスカートがひるがえる。

「ママは歩くの大好き」

私が言うと、うしろで草子は不機嫌そうに、

「知ってる」

と言った。

「丈のながいフレアスカートが好きなのもそのせいかもしれないわね、歩きやすいもの」

私の言葉に、草子は今度はこたえなかった。返事を求めるようにふりむくと、ちょっと困った顔をして、

「でもずぼんの方が歩きやすいよ？」

と言う。

「そうねえ」

私はずぼんというものがあまり好きじゃない。桃井先生もそうだった。

「でもスカートの方がほら、裾《すそ》をさばかなくちゃならないぶん、歩いている実感があるでしょう？」

仕方なく、そんなことを言った。

――僕には、女の人たちがどうしてみんな男みたいな恰好《かっこう》をしたがるのかわからないよ。

先生はよくそう言っていた。私は先生の、そういうクラシックな考え方も好きだった。外出するときにはいつも帽子をかぶるという習慣も。

「あ、ガラス」

私は言い、足元の青いガラス片を拾って草子にさしだした。海岸にはよくガラスのかけらが落ちている。かけらは波や砂に洗われて角がとれ、なめらかにまるいかたちになって、表面がちょうど砂消しのように、白く粉を刷《は》いたようになる。水に濡《ぬ》らすとすきとおり、かわくとまた白くざらりとした表面になる。

――飴《あめ》みたいでしょ。

いつかここでそう言って口に入れてみせると草子はよろこんで、それ以来海にくるたびに拾って持ち帰る。

枝とくまで両手がふさがっている草子のために、私はかわりにそれを持っていてあげた。

「あ、待って、ここにも」

草子はつぎつぎに拾って持ってくる。片手にため、手のひらをかるく握って振ると、かちゃかちゃとうすく寒い音がする。

春の海。どんどんブルーグレイに暮れていく空は、雲だけがいつまでも白い。

帰りに肉屋で鶏肉《とりにく》を買って帰ろう、と思った。草子がやけにたくさんきゅうりを買ってきたので、蒸した鶏をひやして和《あ》えてみようと思っている。

＊

海からの帰り道、ラーメン屋のおばさんに会った。

「こんにちは」

あたしが挨拶するとおばさんはにこにこして、

「あら草子ちゃんひさしぶり。おさんぽ？」

と言った。ママもにっこりして会釈《えしゃく》したけれど、あとから、

「いまの誰？」

と訊いた。ママはほんとうに人の顔をおぼえない。ラーメン屋のおばさん、と教えてあげると、

「いつもの白い上着を着ていてくれればわかるんだけど」

などと言う。全然社交的じゃないのだ。でがけにあたしには紺色のウインドブレイカーを着せたくせに、自分はブラウスにカーディガンを羽織っただけの恰好だったママは、寒そうに腕をこすりながら歩いている。

夜、ママがひさしぶりにパパの話をしてくれた。めったにしてくれないのだけれど、あたしはパパの話をきくのが大好きだ。

きょうは二つ話してくれた。シシリアンキスのリゾートコテッジの話（これはママのお気に入りの話だ）と、夜明けの飛行場の話。

あたしのママとパパは、あるときすべてを捨てる決心をして、トランクに荷物をつめて飛行場にいった。夜中で、高速道路はがらがらにすいていた（あのひとは車の運転がすばらしく上手《うま》いの、と、ママは言った）。飛行場についてしまったあとも、夜が明けるまで、二人は車のなかにいた。小さい白い車だったそうだ。

夜が明けると、パパはママと荷物だけ入口に先に降ろして、一人で車を停めにいった。うす青い空気はひんやりとして、まだ星がでていたの、と、ママは言う。ママはぽつ

んとそこに立って待っていた。つめたく澄んだ夜明けのなかで。

戻ってきたパパをみて、ママはとても嬉しくなった。戻ってくるのはわかっていたのに。歩いてくるあのひとをみるのは絶対的に幸福なの、とママは言う。「みとれちゃう」のだそうだ。いつでも、何度でも。

行き先は外国ならどこでもいいと思っていた。遠ければ遠いほどいいと。

キャンセル待ちの手続きをして（シーズンオフだったし、なにしろ時間が早かったから、二枚くらいのチケットをとるのは簡単なことだった）、それから二人は一緒にコーヒーをのんだ。コーヒースタンドのカウンターにもたれて。

「それでどうしたの？」

ママが黙ったのであたしは訊いた。

「それから二人はどこにいったの？」

ママは微笑《ほほえ》んで、

「この話はこれでおしまいなの」

と言う。

「どうして？」

「どうしても」

あたしはおおいに不満だったが、それ以上訊いても無駄なこともわかっていた。

「パパはどんなひとだったの？」

かわりに、もう何度も訊いたことをもう一度訊いた。

「そりゃあ」

と言ってママはすこし考える。それから、

「いらっしゃい」

と言ってあたしを膝《ひざ》にのせた。

「こういう、すばらしくきれいな背骨をしていて」

ママはあたしの背骨に触る。

「こういう、すばらしく理知的な額をしていて」

つめたい指で、やさしくあたしの前髪をかきあげる。

「それで、いつもまっすぐに物事を考えるひとよ」

「まっすぐに？」

そう、まっすぐに、と、ママは言った。それがすごく特別な言葉であるかのように、ゆっくりと、大切そうに発音した。

それから、あたしたちはここにパパもいるつもりになって、五人で位置移動をして眠った。五人というのはあたしとアリーとピンクのくま、ママと、いるつもりのパパ。

どうやるのかというと、パパのぶんのスペースを、いつも一人ぶんあけておくのだ。アリーとくまは小さいけれど、それでも、二枚の布団《ふとん》に五人で寝るのはけっこう大変でおもしろい。

「あなたは知らないでしょうけれど」

位置移動をしながらママは言った。

「あなたのパパというひとは、よりそって眠ってくれるだけで、たちまちママを幸福の果てに連れていってしまった。いつでも」

ママによれば、パパは肌の温度が高く、肩の下のくぼみが、ママのほっぺたのかたちにぴったりなのだという。

「あのひとのそばで眠れれば、なにも怖くなかった」

とママは言う。怖がりのママが何も怖くなかったなんて、でもあたしはこれは、ちょっとマユツバだと思っている。

桃井先生

あのひととの恋を、ほかの何かのせいにするつもりはない。あれはほかの誰とも、ほかの何とも関係のないことだ。あのひとと出会って恋をしたとき、私はべつに不幸ではなかった。すくなくとも、母や叔母や従妹《いとこ》たちが言うほどには不幸ではなかった。

神社のながい石段をのぼる。

神社は、この町で私の好きな場所の一つだ。しずかで、いつ来ても全然ひとがいない。それでも、つねに清々《すがすが》しく掃き清められている。夏のあいだは緑が濃く、ひんやりして気持ちがいいのでよく散歩に来た。石段の上と下とにそれぞれ注連縄《しめなわ》を張った鳥居があり、下の鳥居は普通にグレイの石肌をさらしているが、上の鳥居はしっとりと苔《こけ》むして、抹茶色をおびている。

こま犬に両脇《りょうわき》をはさまれる位置に立ち、手をあわせる。さい銭はいれない。

私は信心深いたちではないけれど、こうしているとなんとなく落ち着く。遠くでからすがひと声だけ鳴いた。

後悔したことは一度もない。桃井先生との結婚も、あのひととの恋も。後悔したことはないけれど、ほんのときたま、ふいにとても恐ろしくなる。随分遠くまで来てしまったから。

石段のてっぺんから見おろす風景が好きだ。視界をさえぎるものが何もなくて、遠くの山までまっすぐにみえる。空と、緑と、コンクリート舗装された道路、点在する屋根屋根。

たたっ、たたっ、たたっ、というふうに、二歩ずつリズムをつけて石段を降りる。これから一体どうするのだろう。どうなるのだろう。どうすればいいのだろう。コンクリート舗装の道はすぐにおわってしまう。あとは土埃《つちぼこり》の道と砂利道だ。裏道を通ってうちに帰る。

草子は、私の子供のころに似ていない。むしろ私の従姉《いとこ》の美保子ちゃんに似ている。優等生で、年齢よりも大人びてみえる。

——あんまりおばさんを泣かせちゃだめよ。

美保子ちゃんにはよくそう言われた。美保子ちゃんは私より二つ歳上《としうえ》で、妹の果歩ちゃんは私より二つ歳下だった。私は果歩ちゃんとの方が気があった。

——葉子ちゃんって変。

果歩ちゃんはよくそう言った。

私は子供の頃から劣等生だった。ピアノは上手《うま》かったけれど、他には何もできなかった。肺炎をおこして入院したり、家出をしたり、友達とけんかをして怪我《けが》をさせたり、父も母も困らせてばかりいた。

従姉たちとおなじ私立中学に入学したものの、途中でやめてしまった。書類上は自主退学で、近くの区立中学に転入したことになっているが、無論実際は放りだされたのだ。

あのころ私はひどく奇妙な髪をしていた。派手なピンク色の髪だ。コットンキャンディ色、と、染めてくれた美容師は言い、いろは積木のにんぎょうの色、と、果歩ちゃんは言っていた。何のことだかわからないけれど。

家ごとの入口から玄関までのあいだの、庭というよりドライブウェイという方がふさわしいような、砂利敷きの空間を眺めながら歩く。どの家もなにかしら花を植えていて、それが秋の空気のなかで、色とりどりに咲いている。大きな茄子《なす》が、玄関先の植木鉢になっている家もある。

この町にきて一年がすぎた。そろそろ引越し先を考えなくてはいけない。

＊

ひさしぶりに、学校からうちまで、ずっとかかと歩きで帰ってみた。ふくらはぎがちょっと疲れたけれど、どうってことはない。低学年のころはすごく苦労したんだけれど。

うちに帰ると、ママがおやつにドーナツを揚げてくれていた。

「まほちゃんは？」

「帰ったわよ」

台所はドーナツの甘くこうばしい匂《にお》い。茶簞笥《ちゃだんす》のガラス戸にはあたしのかいた絵が何枚も貼《は》ってある。

「なんだ。はやかったね」

ゆうべ、まほちゃんはうちに泊った。一緒に住んでいる彼とけんかをしたのだそうだ。そういうことはときどきある。きのうみたいに一晩だけのこともあるし、三日くらいうちにいることもある。

まほちゃんはママのお友達。やっぱり『デイジー』で働いている。長い髪をしていてとてもきれい。ポケモンのこととかにもくわしいし、カラオケにいくと一緒に SPEED の歌を歌ってくれる。

「手を洗ってうがいをしていらっしゃい」

ママが言った。

先週、運動会があった。

あたしはマスゲームと障害物競走にでた。いいお天気で、ママは朝からはりきってお弁当をつくり、応援に来た。父兄参加の綱引きにもでた。ママとりか子ちゃんのパパはおなじチームだったので、あたしもりか子ちゃんもものすごい勢いで声援を送った。みている方が力が入ってしまって、りか子ちゃんもあたしもがにまたになっていて笑った。

——ママ運動会の音楽大好き。

綱引きのあと、汗をかいた顔で水筒のお茶をのみながら、ママは言った。

——いろんな色の紙テープも好き。

ママはへんなものが好きだ。

あたしが障害物競走で八人中三位になったら、ママは大げさに感激してあたしを抱きしめた。あたしの頭をぎゅうぎゅう抱いて、

——あなたにはパパの血が流れてるんだものね。

と、すごく嬉《うれ》しそうに言った。八人中三位はそんなにいい成績じゃないと思ったのでそう言うと、ママはおどろいた顔をした。

それから、

——そりゃああなたは私の娘でもあるんだもの、仕方ないわ。

と、まじめに言うのだった。

運動会のなかで、あたしはお弁当の時間がやっぱりいちばん好きだ。外の空気の匂いに、みんなのおむすびの海苔《のり》の匂いのまざるところが特別で好き。大家さんのおばさんが朝届けてくれた、ゆでた栗《くり》も食べた。

＊

玄関に脱がれた運動靴をみると、私はいつも苦笑してしまう。草子は草子の父親に、どんどん似てくる。左足が右足のすこし前にでたかたちで脱がれる靴までそっくりだ。ドーナツを揚げてしまうと、私は草子のために牛乳を、自分用にはコーヒーを用意した。

ラジオからなつかしい曲が流れて、私はかるくハミングをする。イーグルスのHEARTACHE TONIGHT だ。

――踊るのが好きなんだね。

部屋で音楽を聴いていると、桃井先生はそう言ってわらった。

――よく動く肩だね。

好きな曲を聴くときにはどうしても身体《からだ》をゆすってしまうのだ。

――僕はきみが踊っているところをみているのが好きだよ。

桃井先生はやさしいひとだった。痩《や》せて背が高く、まるい縁の小さな眼鏡をかけていて、ふさふさのやわらかい髪はうしろになでつけられていた。

——反対しているわけじゃないのよ。

桃井先生と結婚したいと言ったとき、母はほとんど懇願するような口調で言った。

——でも何もあわてて入籍することもないでしょう?

桃井先生に出会ったとき、私はもうピンク色の髪はしていなかった。友達のすくない、おとなしい大学生になっていた。

桃井先生はピアノ科の主任教授だった。私は四年間先生の個人レッスンを受けた。

私たちは卒業と同時に入籍した。


——あいつ、あの女とまだきれてなかったのよ。

ゆうべ、まほちゃんは言った。遊び疲れて草子が眠ってしまったあとで、ワイルドターキーの水割りをのみながら。

——十回ぐらい思いきり踏んづけてやった。あいつ、頭は座布団《ざぶとん》でガードしてたけど、体はあざだらけだと思う。

おこってはいたが、全然とり乱したふうではない。

——ひょっとしたらあばら骨の一本くらい折れてるかもしれない。

そう言ったときには、やや心配そうな口調でさえあった。

——別れる気はないの？

返事はわかっていたけれど、いちおう訊《き》いてみた。まほちゃんは弱く微笑《ほほえ》んで、黙ったまま水割りの氷に指で触った。


「三組の井上先生は産休だって。今朝朝礼で挨拶《あいさつ》したよ」

ドーナツを食べながら、草子が言った。

「井上先生は三つ編みでかわいいから、会えなくなって残念だな」

「かわいいの？」

コーヒーを啜《すす》り、煙草《たばこ》に火をつけて私は訊いた。

「かわいいよ」

草子はわけしり顔で言う。

「ニンプ服もいつもかわいいの着てる」

「ふうん、そう」

コーヒーはすこし濃すぎた。口のなかに強い苦味がひろがる。

「あなたの担任は？　かわいくないの？」

私が訊くと、草子は首をちょっとすくめ、仕方がなさそうに、

「かわいいよ」

とこたえた。

桃井先生について憶《おぼ》えていることはたくさんある。先生と私は、結局最後まで手をつなぐ以外の肉体的接触がなかったけれど、私は先生の骨ばった手の温度や乾いた感触が好きだった。先生の手に、私たちの結婚指輪はすごくよく似合っていたと思う。指輪は銀色のシンプルなもので、先生はそれを一度もはずしたことがなかった。

先生について私が不満に思っていたことは一つしかない。私に何も望んでいないようだったことだ。

――君にではないよ。

先生は私をかなしそうにみてそう言った。

――僕は誰に対しても、何か望んだり期待したりできない性分なんだ。

私はとても淋《さび》しくなった。

――おなじことだわ。

でもおなじではなかった。なお悪かった。

子供のころに父親に捨てられたこととか、私と出会う前にすでに結婚に二度失敗していたこととかが、関係しているのかもしれなかった。私にはわからなかった。

私にわかっていることは、いまや一つだけだ。そして結局、私も先生の元を去ってしまったということ。

——つまり、君も僕を捨てるんだね。

あのとき先生はそう言った。

——あの男はもういないのに。

深夜だった。いつもなら先生はとっくに寝ている時間だった。

——ごめんなさい。

私は先生の室内履きをじっとみて言った。黒い、やわらかなやぎ皮の室内履き。先生の室内履きはそれでなくてはならず、いたむと、自分で三越にいって新しいものを買ってきた。

——でも私はインモラルな女じゃないもの。

きちんと先生の顔をみて言った。

——インモラル？

眼鏡の奥の目が、ほんのすこし可笑《おか》しそうに物を問う表情になった。

——そうよ。あのひとは私をインモラルだと言ったけれど、私はインモラルな女じゃないもの。あのひとがいなくなったからって、このままあなたと暮らしているわけにはいかないわ。

話しながら、私は先生のお母さんが心配しているだろうなと考えていた。もう深夜だったから。

桃井先生のお母さんは八十をすぎてひとり暮らしで、先生は毎晩、歩いて三分の場所にある母親の家に寝に帰っていた。

――あの男が君をインモラルだと言ったのかい？

先生は不思議そうな顔をした。不思議そうな、理解できないというような。

実際にはあのひとは、俺たち、と言ったのだった。たしかに俺たちはインモラルだよ。破壊的にね。ばかだなあ、気がつかなかったの？　恋愛はインモラルな人間の特権なのに、と。

――あの男は君をわかっていないんだな。

皮肉めいた笑みをうかべて、桃井先生は言った。

「牛乳をもう一杯のむ？」

私が訊くと、草子は首をふって、

「いらない」

とこたえた。

ドーナツを食べてしまうと、私たちは一緒に食器を片づけて、それから一緒に読書をした。二、三日前から、草子は『隊商』という本に熱中している。

*

夜、ママがでかけてしまってから、ピアノを弾いた。「牧歌」は、最後まで弾ける数すくない曲の一つだ。「勇敢な騎士」は途中までしか弾けないけれど、弾けるところだけくり返して弾いた。

あたしは落ち着かなかった。

夜ごはんのとき、ママが引越しをほのめかした。

——今度はどんなところに住みたい？

って。

——引越すの？

私が訊くと、ママは笑って、まだわからないわ、と言ったけれど、私にはわかった。経験上。

——まだ一年だよ？

私は抗議の気持ちをこめて言った。でもママはぼんやりと、

——そうねえ。

と言っただけだった。

ピアノを弾いていたら、なんだか知らないけど涙がでてきた。「親友の誓い」を思いだし、りか子ちゃんを裏切るような気持ちになった。あたしは両目をぎゅっとつぶった。ぎゅっとつぶっても涙はこぼれてくれなくて、下まぶたと下まつげを濡《ぬ》らしただけだった。あたしは力強く、ばんばん音をたててピアノを弾いた。「勇敢な騎士」は勇ましい曲なのでちょうどよかった。途中までにしても。

あたしは自分が転校の挨拶をするところを想像した。教壇の上に立ち、短いあいだでしたがどうもありがとうございました、と言って頭をさげるところを。それからお別れ会を想像した。みんなが――たぶん水曜日の五時間目に――してくれるお別れ会のことを。サイン色紙や、花柄の紙ナプキンにのったお菓子を。それからあたしはあたしのロッカーを空にする。学期末でもないのに、一人だけ。たぶんママが迎えに来てくれるだろう。上履きとか体操着袋とか習字道具とか、荷物がいっぱいあるから。ママと二人で校庭を歩いてでていく。どこだかわからない場所へ。いつものように。

ラジオを消して布団に入ってから、あたしはパパのことを考えた。いつかパパに会えたときのこと。

ママによれば、パパは笑うと「ものすごくきれいな顔」になるのだそうだ。

――ものすごくきれいな顔ってどういう顔？

あたしが訊くと、ママは自信たっぷりに、

――あなたのパパの笑ったときみたいな顔よ。

とこたえた。

――だからあ。

あたしがおこるとママは笑って、ごめんなさい、と言い、それから説明してくれた。

――心のきれいなひとの顔。それはもう晴れやかなの。あなたのパパの笑顔をみたら、誰にだってすぐにわかるわ、ああこのひとは心のきれいなひとなんだって。

パパのことを話すとき、ママはとてもやさしい顔になる。話し方がいつもよりゆっくりになり、一つずつ注意深く言葉を選ぶ。海岸でガラスを拾うときのように。

パパに会う場面はもう何度も想像した。それがいつでも、どこででも、あたしはパパをみたらまずにっこりしてあげる。それから、

――はじめまして。

と言う。パパもたぶん、

――はじめまして。

と言うだろう。あたしたちは握手をするかもしれない。パパはあたしの背骨と額が自分のにそっくりなことに気づく。

——元気？

それからそう尋ねるだろう。「ものすごくきれいな」笑顔で。

パパのことを考えたら、すこし気分がよくなった。

＊

十一月になってすぐ、私は引越し先を決めた。千葉県の佐倉《さくら》市だ。草子にはまだ言っていないけれど、もう高萩をでるということは、うすうす感づいているようだ。

場所はどこでもよかった。高萩が思いのほか居心地のいい町だったので、予定よりもはやく引越すことにしたのだ。うっかりしてこの町になじんでしまうのがこわかった。それがどんな場所であれ、なじんでしまったらもうあのひとには会えない気がするから。

——かならず戻ってくる。

あの暑い九月の午後、あのひとはそう言った。

——かならず戻ってくる。そうして俺はかならず葉子ちゃんを探しだす。どこにいても。

——どこにいても？

あのとき私は笑ったものだった。

――私はどこにもいかないわ。あなたが来てくれるまでここで待ってる。一歩も動かない。

私はあのひとのいない場所にはなじむわけにいかないのだ。そこは私のいる場所ではないから。

佐倉は穏やかそうな土地だった。たまたまお店でその街の話がでて、まほちゃん――新築建売住宅のチラシでみたのだそうだ――が便利なところらしいと言ったので、下見にいって決めてしまった。大きなピアノ教室もあり、講師の募集をしていたのも都合がよかった。

もう一度今度は草子と一緒に下見にいって、住む場所を探してこようと思っている。

――どうしてそんな約束をしたの？

もう十年も前、母はほとんど泣きそうな顔で言った。

――まさかあなた、そんな約束を本気で守るつもりじゃないんでしょう？

勿論《もちろん》私は約束は守る。とくに桃井先生との約束は。

東京からでていってほしい。

ほんとうに沈痛な面持ちで、あの日先生はそう言った。それが離婚のたった一つの条件だった。

——道で髪の短い若い女をみるたびに、君じゃないかと考えることには堪えられないよ。

先生の声はふるえていた。

——小さな女の子をみるたびに、草子じゃないかと思うことには堪えられない。

あのときの先生はもう私の夫のようではなくて、いくつもの賞をとったピアノ科主任の大学教授でもなくて、ただの孤独な老人のようだった。

家をでるとき、桃井先生はキャッシュカードをみんな財布からだして私にくれた。三枚あった。

——持っていくといい。暗証番号はどれも君の誕生日になっているから。

私は一度も使わなかった。そのことで、先生が傷ついた気持ちになっていないといいと思う。

布団から腕をだして煙草とライターを探る。台所で草子が朝ごはんを食べている気配がする。

私はつめたい顔を片手でこすり、煙草をくわえて火をつけた。

草子のたてる物音の一つ一つに耳をすます。食器を流しに運ぶ音、ランドセルをあけて中身をたしかめる音、洗面所で歯を磨く音。

草子はもうじきここに来るだろう。遠慮がちに襖《ふすま》をあけて。日曜日に佐倉にいこうと誘ってみよう。新しいおうちをみにいこう、と。草子はきっとおどろかない。一瞬身をかたくして、でもきっと言うだろう。いいよ、と。

私は煙草を灰皿におしつけて、布団のなかでふたたび仰向けになる。模様のように色の変わったしみのある天井の木目。ロッド・ステュアートを口ずさもうとしたが、すぐに声がかすれてしまった。

WHEN I NEED YOU, I JUST CLOSE MY EYES AND I'M WITH YOU.
AND ALL THAT I SO WANT TO GIVE YOU IT'S ONLY A——

あのひとはどこにいるのだろう。いま、どこで何をしているのだろう。

1999・佐倉

ドゥービーブラザースのLONG TRAIN RUNNIN'が、大きな音で鳴り響いていた。フロアは熱気がたちこめて、華やかな恰好《かっこう》で長い髪をかきあげながら腰を揺する女子大生たちの、甘ったるい香水の匂《にお》いがしていた。甘く、動物的な香り。当時ちょっと洒落《しゃれ》たディスコは夜毎《よごと》満員の盛況で、でもどんなに混んだフロアでも、私のまわりだけはほんのすこし空いていた。汗がとび散るといやだと思われたのかもしれない。ひどくはげしく踊ったから。

十七歳だった。タンクトップにミニスカートという恰好で踊っていても、すぐ汗びっしょりになった。おもては真冬だというのに。

ときどき酔狂な男の子が声をかけてきたけれど、じゃあ一緒に踊りましょう、と言うと、たいていそばにしばらくつっ立って、年はいくつとかあっちにすわって一杯のもうとかうるさく話しかけてきて、それでも構わず踊っていると、やがてあきらめて――あきれてかもしれないが――、仲間の待つ場所に戻っていった。

踊るのは気持ちのいいことだった。単純に、すっきりして気持ちがよくてたのしかった。疲れるまで踊った。

——つまりスポーツクラブみたいなものだったんだね。

そのころのことを話すと、あのひとはそう言って笑った。骨格のきれいな、私をたちまち細胞の一つずつまで幸福にする頼もしい笑顔で。

その通りだった。私にとってディスコはスポーツクラブのようなもので、体が満足するまで踊ると、ロッカールームにいく途中のバーカウンターで喉《のど》を鳴らしてつめたいものをのみ、汗をふいてコートを着て鞄《かばん》をとり、さっさとドアの外にでた。

寒くて広くて誰もいない、好きでも嫌いでもない東京の景色のなかへ。

一九六二年、冬のさなかに私は生まれた。東京のまんなかで育った。東京は、私にとって校庭のようなものだった。退屈で、砂だらけで、狭いくせにはてしなく広い。

私は親不孝な子供だった。父親は私を葉《よう》と呼び、よく膝《ひざ》にのせてくれたし、専業主婦だった母は手縫いのワンピースなど作ってくれたというのに。

草子と旅にでてから、私は以前よりずっと頻繁に、父と母のことを思いだすようになった。

——葉は大きくなったら何になるんだ？

父にそう訊《き》かれたことがある。

――トッポジージョ。

私はこたえた。

――そうか、トッポジージョか。

愉快そうに、父は笑っていた。

――葉はトッポジージョになるんだってさ。

父が言うと母も笑った。あかるい声でたのしそうに笑って、

――葉子はおもしろいのね。

と言った。いつも膝丈のタイトスカートをはき、体にぴったりしたシャツやセーターを着ていた母。外出するときだけ、ミツコという香水をつけた。

私の人生に与えられた三つの宝物のうち、一つ目は六歳のときにやってきた。ピアノだ。ピアノは艶《つや》やかに黒く美しく、蓋《ふた》をあけると独特の匂いがした。木とワニスの匂い。

両親のためにはっきりさせておくと、たとえば私が小学生のときに友達に怪我《けが》をさせたり、中学生のときに髪を「コットンキャンディ色」にしたり学校を途中でやめる羽目になったり、何度も家出をしたり補導されたりしたことはすべて、私自身の原因と結果だ。彼らが悪いわけではない。私は両親が好きだった。

ただ、どうすればいいのかわからなかった。まるでさっぱりわからなかったのだ。

——葉子ちゃんは方向オンチだからな。

あのひとはいつかやさしい目で言った。

——ずいぶん遠くまでいってたんだね。

私は泣きたかった。いっぺんに気持ちがあふれてどうしようもなかった。ずっと一人だった。トッポジージョにはなれなかった。自分を不幸だと思ったことはなかったが、でも、つまらなかった。生きていてもよくわからなかった。どうすればいいのか、どうしてもっと生きなくちゃいけないのか。あのひとに会うまでは。

＊

引越しの日の朝、あたしとママとまほちゃんと、三人でファミリーレストランで朝ごはんを食べた。すごくいいお天気で、バス停のわきの雪柳が満開だった。

あたしが食べたのはパンケーキにソーセージとスクランブルエッグのついたセットで、パンケーキはぺたりと薄くてシロップをかけるとびしょびしょになった。

あたしたちは三人ともたくさん食べた。あまり喋《しゃべ》らなかった。何を喋ればいいのかわからなかったから。店のなかはあかるくて、ベーコンの匂いがしていた。

ママとまほちゃんは食べおわってもコーヒーをおかわりして何杯ものみ、煙草《たばこ》を吸った。まほちゃんの左腕のブレスレットが日ざしをうけて、腕の動きにつれてちらちら光る。

お金はまほちゃんが払った。お餞別《せんべつ》の朝ごはん。

おもてにでるとママはやわらかい風に孔雀《くじやく》みたいに胸をはり、こころもち上をむいて目をつぶった。

――気持ちのいい日。

にっこりと微笑《ほほえ》んで言う。ママは涙もろいのに、引越すときに泣いたり沈んだりしたことは一度もない。

――またすぐ会おうね。

あたしとまほちゃんは約束した。そうしたらお揃《そろ》いのネイルシールを貼《は》ってカラオケにいって、そのときのSPEEDの最新曲を一緒に歌うのだ。

――葉子さんの彼氏、みつかるといいね。

最後にまほちゃんはそんなことを言った。

――ありがとう。

ママは微笑んで、

――大丈夫。

と、まるでパパを待っているのがまほちゃんで、ママはまほちゃんを安心させてあげる役でもあるかのように、自信たっぷりの言い方でこたえた。

佐倉はおもしろい町だ。あかるくて、のんびりしている。町じゅういたるところに彫刻があり、しずかで、ふるい商店街もある。電器屋の店先に、宇宙人みたいな男の子の人形が立っている。そこを通るとママはかならずそのぼろっちい人形をなでる。人形は両方の耳からアンテナがつきだし、長ぐつをはいていて、手袋をした右手の親指を立てている。

ママは電車で二駅先のピアノ教室で教えているけれど、週に三日は夜もバーで働く。その方が精神バランス上いいし、家計もうるおうから。家計がうるおう、というのはお金に余裕ができるっていうこと。

高萩とちがって海がないので、お休みの日、あたしたちはかわりに城址《じょうし》公園にいく。城址公園はとにかく広い。林もあって芝生もあって、空がたくさんみえて空気がきれい。

おとといもいった。

おとどい、ママはちょっと疲れていた。ママは疲れると目のまわりの肌が暗い感じになるし、声に元気がなくなるからすぐにわかる。

――煙草の吸いすぎじゃない？

あたしが言うと、ママはおどろいたふりをして、

──まさか！

と言った。

──冗談でしょう？　ママの栄養源なのよ。

それからすぐに小さな手さげから煙草をだして、一本くわえて火をつける。

──子供みたい。

あたしはあきれた口調と表情をつくった。

──大きなお世話。

そう言うと、ママは煙をふーっと吐いた。

あたしたちは城址公園の、空堀《からぼり》の土手に腰をおろしてミルクコーヒーをのんだ。ママがつくって小さなポットにいれてきたやつだ。あたしたちは缶入りのコーヒーはのまない。ママが言うには、缶コーヒーには「殺人的な量の」砂糖が入っているらしい。

──新しい学校はどう？

ママが訊いた。転入して一カ月になる。

──ふつう。

あたしはこたえた。ママは、そう、とだけ言った。

りか子ちゃんとは文通をしている。絶対に返事を書くから手紙をちょうだい、と、りか子ちゃんが言ったのだ。あたしたちは「親友の誓い」に新たな項目をつけ加えた。

六、変化、事件、発見は、すぐに手紙で知らせあう。
七、かならず再会する。
八、忘れない。
というもの。

引越して以来、学校から帰ってもママのいないことが多い。地区センターのピアノ教室にいけば会えるけれど――いつでも会いにきていいのよ、と、ママは言う――、まだ一度もいったことはない。

＊

アパートは古いけれど一階の端の部屋で、庭つきなのが気に入っている。雑草だらけの小さな庭。

新しい店の名前は『積木』という。カウンターだけのかなり狭い店だ。私はそこで週に三日、八時から一時まで働いている。経営者は男性で、『デイジー』のママのふるい知りあいだ。

――東京のかたなんですって？

ゆうべ、お客さんの一人がそう言った。

――僕も東京なんですよ。神田です。それが去年こっちに家を買ったもんだから、いやそりゃあここは立派に通勤圏ですよ。でもね、いやゃっぱり神田とくらべると、田舎ですよねえ、ここは。

ここは日ざしの美しい町だ。複雑な感じのしない町。いい町だね。

あのひとならきっとそう言う。

今度の町でも、無論楽器屋はのぞいてみた。期待なんかこれっぽっちもしていないのに、のぞく瞬間はこわれそうにどきどきした。そして、わかっていたことだが、そこでギターの弦をはっているのがあのひとではないのをみて、失望というよりほとんど安堵《あんど》した。

おととい、草子と城址公園にいった。新しい学校について尋ねると、草子は「ふつう」だとこたえた。ふつう。それがどういう意味であれ、私はそのこたえに満足するより他にない。

もうすぐ夏がくる。土手の芝生はしっとりした緑で、甘くかぐわしい匂いがした。

――変わった子がいるよ。

芝をむしりながら草子が言った。

——変わった子？

——そう。クラスに。

どんな子、と、私は訊いた。

——男の子。すごく太ってるの。

——それだけ？

——ちがう。喋らないし。なんか浮いてるの。

——浮いてるって、転校生のあなたより？

気を悪くしたのか、草子はすこし黙った。それからしぶしぶうなずいて、

——あたしはもっと上手《うま》くやってるもん。

と言う。

——ふうん。

私は、私の知らない草子の生活を思った。意志の有無にかかわらず、何度もすべてを新しくさせられている草子の生活を。

——頼もしいのね。

草子は、べつにそんなでもないけど、と不機嫌にこたえてポットの蓋をあけた。

——要領がいいのかもね。

と言う。私は、私の子供のころのことを思いだしてしまった。

母。

——あなたは要領が悪すぎるわ。

母によくそう言われた。私には、要領というのが何のことだかさっぱりわからなかった。

母は桃井先生を恨んでいる。あなたと草子をおいだす権利はあの男にはない、と、こわい顔で息まいた。

でも母はまちがっている。私たちはおいだされたわけじゃない。私が自分で選んだのだ。桃井先生と暮らすことも、別れることも、でていくことも。

そして、私と草子は二人きりになった。

草子に望むことはなにもない。私の人生に与えられた三つ目の宝物である草子。草子は健康で聡明《そうめい》で、申し分のない子供だ。だからあとはただ、自分の体と頭で注意深く感じて生きていてほしい。いつも。あのひとのように。

地区センター駅前は、なんだか遊園地みたいだ。がらんと何もない土地に、そこだけいろいろあって奇妙ににぎやかなのだ。夕暮れどきはとくにそう。ドーナツ屋のあかり、地上三十一階のマンション、大きなスーパーマーケットのサティ。私のつとめるピアノ教室は、その遊園地のはずれにある。学校帰りの高校生とか。以前つとめていたスズキメソードより、気軽で開放的な感じだ。

生徒は子供よりも大人が多い。

レッスンの合間に、講師はピアノを自由に弾いて構わない。きょうは、ひさしぶりにジャズをすこし弾いた。THESE FOOLISH THINGS とか、BODY AND SOUL とか。受付のアルバイトの女の子が、コーヒーを持ってきてくれた。

「素敵ですねえ。STARS FELL ON ALABAMA もできます？」

それで、それも弾いた。アルバイトの女の子は、自分でもジャズドラムを習っているとかで、くわしかった。

「MY ONE AND ONLY LOVE は？」

ごめんなさい、と、私は言った。

「忘れちゃったわ。あれはもうずっと弾いていないから」

半分は嘘《うそ》ではなかった。あの曲はもうずっと弾いていない。ただ、勿論《もちろん》忘れてしまったわけではない。忘れられるわけがない。頑健な体つきに不似合いなほどやさしい声で、あのひとが歌ってくれた曲。

「専門はジャズなんですか？」

女の子に訊かれ、私は辛うじて現実に踏みとどまった。

「いいえ、クラシック。これでもいちおう、バッハ弾きなの」

　うちに帰ると、草子が絵をかいていた。象と蝶《ちょう》と猿の絵だった。

「ただいま」

　うしろにしゃがんで声をかけた。

「おかえりなさい」

　ふりむいた草子は絵に熱中するあまり心ここにあらずの表情で言い、それでも習慣上、なめらかに私の首に両腕をまきつける。

「おなかすいた？」

　私は訊き、手を洗って台所に立った。

「象に衿巻《えりまき》をまきたいんだけど」

　しばらくすると、草子が大きな声で言った。

「何色の衿巻が似合うと思う？」

「紺！」

　包丁を持ったまま、私もすこし大きな声でこたえる。草子が台所のテーブルではなく和室にぺたりと足を投げだして――画板を使って――絵をかいているからで、おまけに冷蔵庫にフックをつけてぶらさげたラジオから、フットボールだかホッケーだか野球だか、ともかく何かのスポーツ中継が流れてもいた。

「こんー？」

草子は気に入らないようだ。

「あなたは何色がいいと思うの？」

私は塩鮭《しおざけ》を焼き、野菜を数種類蒸してコンソメ顆粒《かりゅう》でうすく味をつける。

「水色と白の水玉かな」

「もうできるから片づけて、手を洗っていらっしゃい」

夜ごはんのあと、草子と銭湯にいった。アパートはお風呂《ふろ》つきだけれどとても狭いし、近くにいい銭湯があるので、『積木』にいかない日はよく利用する。私は広いお風呂が好きだ。いろんな女のいろんな裸がうろうろしているのをみるのもおもしろい。

「まことくんやまことくんのおばちゃんたち元気かな」

湯舟のなかで、草子が言った。

「弟はもう大きくなったかな」

私に似ず草子は記憶力がよくておどろく。まことくんというのは、かつて私たちが下宿していた先の男の子だ。私はもう顔も憶《おぼ》えていないけれど。

「会いたいの？」

私が訊くと、草子はすこし考えて、

「べつに」

と言った。べつに、は、草子の得意な言葉だ。

「草加のおばあちゃんはどうしてるかな」

今夜の草子は感傷にひたりたい気分らしい。

「今度会いにいってみる？」

提案しても、でもあっさりと、べつに、と言う。小さな背中。肩に後れ毛が濡《ぬ》れてはりついている。

＊

ときどきおどろいてしまうのだけれど、ママはほんとうに前向きなひとだ。高萩のことでさえ、ママにとってはきっともう〝箱のなか〟だ。信じられない。お風呂あがり、あたしたちはそれぞれ体重計にのってから、あたしは牛乳を、ママはミネラルウォーターをのんだ。

帰りみち、肩に乾いたタオルをかけて、濡れた髪を揺らして歩くのはいい気持ち。あたしたちはクロス・トゥ・ユーを——あたしは歌えるところだけ——歌いながら帰った。

それから、ママが本を読んでいる横で、あたしはりか子ちゃんに手紙を書いた。こういう手紙。

りか子ちゃん
元気ですか。きょう学校で図工がありました。あたしが体育委員じゃなく図工委員になったことは、この前の手紙に書いたと思います。あたしはもともと体育より図工の方が得意なので、よかったと思います。

算数もありました。ちゃんと、りか子ちゃんにもらったシャーペンを使ったので安心してね。

佐倉の町にはおもしろいものがあります。風車です。変でしょう？ でも大きくて立派な風車です。印旛沼《いんばぬま》のちかくにあるの。沼のまわりではサイクリングもできるから、今度遊びにきてね。でも、風車は普段あんまり動いていません。入口にすわっているおじさんに、「いつ動くんですか」って訊いたら、「風しだい」っていう返事でした。でもね、土、日は風がなくても回っているんだよ。観光用に電気で回してるのよってママは言います。

そちらはいかがですか。また手紙をください。お元気で。

草子より

「何ていう本を読んでるの？」

手紙を書きおえると丁寧に封をして切手を貼《は》り、それからあたしはママに訊いた。ママが背表紙をみせてくれたので、

「妻は二度死ぬ」

と、題名を声にだして読んだ。

「推理小説？」

そう、と、ママは頁《ページ》から目をはなさずにこたえる。

「まだ寝ないの？」

椅子《いす》にすわっているママの膝《ひざ》に、べったりおおいかぶさりながら訊いた。

「先に寝なさい」

「布団《ふとん》のなかで読めば？」

ママは五秒くらい続きを読もうと努力していたが、がまんできなくなって笑った。

「誘惑するわねえ」

本を閉じ、あたしをうしろからはがいじめにして、頭に唇をつけてぎゅうぎゅう抱きしめる。

「読書のじゃまをするなんてパパみたい」

あたしはくすぐったくて、くすくす笑った。

「手をつないで寝よう？」

あたしが言うと、ママは、

「よろこんで」

とこたえた。それであたしは歯を磨き、アリーとピンクのくまを右側にならべて、布団に入ると左手をママの布団にすべりこませる。ママの指はとてもつめたい。

「おやすみなさい」

目をとじて、あたしは言った。

「おやすみなさい」

ママも言った。やがてママが一瞬手をはなし、がばりと起きあがって蛍光灯のひもを引く。まぶたに暗闇《くらやみ》がおちてきて、部屋のあかりはみかん色の豆電球だけになる。

あたしは寝返りをうつふりをして、ママの布団に侵入する。

夏休み

　昔、あたしのママとパパが長い長い旅をしていたころ、ママは雨の朝が大好きだったそうだ。たとえばパリで、目がさめると、ホテルの小さな部屋のなかじゅう雨の気配がたちこめていて、しずかで、耳をすますと案の定雨の音がするの、と、ママはときどきなつかしそうに話してくれる。ベッドはすごく寝乱れていて、パパの体はたいてい半分くらいシーツからでてしまっている。パパの体は肩が厚くて体温が高くて「とてもいい感じ」なので、ママはどうしたって「そこらじゅうに唇をつけずにはいられない」。雨の朝、パパとママはなかなかベッドからでられない。抱きあったり、キスをしたり、ばかばかしくて幸福な言葉をささやきあったり、互いの額の髪をかきあげあったり、またキスしたり、手をつないでただじっと横になり、雨の音をきいていたりした。

　それからやっと決心して起きあがる。歩いて一分のところにあるパン屋は、「パンというよりお菓子の匂《にお》い」でいっぱいで、「雨の日はあらゆる匂いが濃くただよう」ことを、ママもパパもたちまちおもいだす。二人はそこでクロワッサンとコーヒーを買い、部屋に戻る。ベッドにとびこんで、くっついたまま朝ごはんを食べる。ホテルの小さな部屋。しずかな、幸福な。

でもあたしはほんとは知っている。ママはパパと旅にでたことなんて一度もないって。

＊

働くのは気持ちのいいことだ。自分が何かの役に立っていると感じることは。

——葉子さんは働き者だね。

ゆうべ店長にそう言われた。私は、やることのある状態が好きだ。みたすべきグラスがあり、話をきいてあげるべきお客さんがいて、とりかえるべき灰皿があり、洗うべきグラスやピッチャーがあり、クリーニングにだすべきカーテンがあり、掃除をするべき空間があり、業者にとりかえてもらうべき玄関マットのある状態。一つずつきちんとやれば、一つずつきちんと片づく状態。

私はときどき思うのだけれど、桃井先生と結婚していたあいだも、私は仕事を持っているべきだったのかもしれない。

佐倉にきて四カ月になるけれど、ここでの生活はとても充実している。ピアノ教室は、火曜と木曜が午前中だけ、水曜と金曜と土曜が一日中で、日曜と月曜が休みだ。授業は一つが一時間で、たいていの生徒は週に一度やってくる。なかには週に二度とか三度授業を受けている生徒もいるし、授業は週に一度なのに、しょっちゅう遊びにくる子供もいる。いろいろだ。

大下さんというおばあさんは七十の手習いでピアノを始め、ゆっくりだが着実に練習して、六年目のいま、もうじきブルグミュラーがおわるところだ。大下さんのレッスンの日、おわるころを見計らって、ときどき御主人が迎えにくる。御主人は小柄で、頭のはげた元気なおじいさんだ。

きょうは午前中だけの日だったが、うちに帰ると草子はでかけていて留守だった。草子がいないとすごく淋《さび》しい。私はサンドイッチを二人ぶん作って待ったが、帰ってこないので一人で先に食べた。それから夕方まで本を読んですごした。

＊

床は黒と白の市松模様、天井は白。入って左にカウンターとおみやげ屋。ガラスばりで、日あたりがよく、奥に喫茶店もある。階段は吹き抜けになっていて、四角いオブジェがいくつもぶらさがっている。黒い革ばりの長椅子《ながいす》に背もたれがないのが玉にきずだけれど、市立美術館は入場無料なのですばらしいと思う。夏休みに入って一週間。あたしは昼間、毎日のようにここに来てすわっている。暑さからのがれるために。

今度のアパートには冷房がない。「自然の風の方が体にいい」とか言っちゃって、ママは平気な顔をしている。『積木』もピアノ教室も、冷房がききすぎて寒いくらいなのだそうだ。

あたしはここで宿題をしたり、本を読んだりスパイごっこをしたりする。スパイごっこというのは最近考えだした遊び。あたしは大人で、スパイで、ある任務のために、子供のふりをしてここにいる、というつもりになるのだ。あたしはまわりを注意深く観察し、秘密のトランシーバー――消しゴムだけれど――にむかってすばやく報告する。いまのところ異常ありません、とか、不審な二人組発見、とか。もっとも、美術館の受付のお姉さんは、あたしを不審な人間だと思っているだろうけれど。

一学期の終業式の日、ママと回転鮨屋《すしや》にいった。あたしの通信簿の成績がよかったので、ママは嬉《うれ》しそうだった。

――ママはあなたの成績が悪くても全然構わないけれど、あなたがこんなに優秀で嬉しいわ。

と、よくわからないことを言った。

――きっとパパに似たのね。

とも。

ママのいちばん好きなお鮨はひらめで、あたしのいちばん好きなのはトロ。ママの二番めは穴子で、あたしの二番目はかっぱ。

——パパは成績がよかったの？

大きな湯のみに入ったうすいお茶をのんで訊《き》いた。

——勿論《もちろん》。

ママはこたえ、それからちょっと考えて、

——実際に成績表をみたことはないけれど。

とつけたした。

——でもきっとよかったと思うわ。すばらしく頭のきれるひとだもの。

すばらしく頭のきれることと成績のいいこととは必ずしも一致しない、ということを、ママに説明するのは大変そうなのでやめた。

——ふうん。

かわりにあたしはそう言って、玉子焼きののったお皿に手をのばした。

——フルーツゼリーも食べてもいい？

——勿論。

にっこり笑ってママはこたえる。あたしの右の横顔を、いとおしそうにみつめながら。

「野島さん？」

自信のなさそうな声がして、ふりむくと沼田くんが立っていた。沼田くんはおなじクラスの、すごく太った男の子。大人みたいなずぼんをはいているので、子供なのにおじさんのようにみえる。

「なにしてるの？」

ほんとうに不思議そうに沼田くんは訊いた。長椅子にひろげたあたしの本やノートや手さげかばんを、なにか異様なもののように見下ろしている。

「べつに」

あたしはこたえた。

「沼田くんこそこんなところで何してるの？」

沼田くんは一瞬意外そうな顔をした。それから、

「あ、お母さんがそこで働いてるから」

と言って奥の喫茶店を指さした。

「ふうん、そうなの」

あたしはちょっときまりの悪い感じでそう言った。いまここにいる理由として、沼田くんの方にあきらかに分があったから。

「宿題をしてたの」

仕方なくあたしは言った。持ち物をしまいながら。

「ここ涼しいでしょ。うち冷房がないから」

「なんで片づけてるの？」

「もう帰るから」

ふうん、こと、沼田くんは言った。

「じゃあね」

あたしは言い、涼しい美術館をあとにした。


うちに帰るとママが本を読んでいた。

美術館からうちまでは、歩くと十五分かかる。その十五分であたしは暑くてべたべたになってしまう。

「ただいま」

「お昼ごはんは？」

本から顔をあげてママが訊く。

「あとで。先にシャワーをあびてくる」

庭に面したガラス戸がすっかり開けられて網戸になっていて、ママの買ってきた風鈴が鳴っている。小さいけれど、どきっとするくらい鋭い風鈴の音。ママは「涼しい音」だと言うけれど、あたしはあんまり好きじゃない。

夏の夕方、シャワーをあびると途端にだるくなるのはどうしてだろう。遅いお昼をたべたあと、あたしは読書中のママの足元に寝そべって、畳の感触をたのしみながらうたた寝をした。意識の遠くで風鈴の音をききながら。

それから、ママとあたしは散歩にでた。うす青い夕方。日が沈むとおもてはぐっと涼しくなる。ママはあたしのウォークマンで音楽をききながら歩いていた。

城址公園につづく並木道はママとあたしの気に入りの道だ。広々とした道。右側に中学校がある。再来年、もしまだこの町に住んでいたら、あたしはこの中学に入学するのだ。そしてグレーの体操着を着る（この学校の体操着は、男子がみどり、女子がグレーのジャージなのだ）。

「いい匂い」

遠くの空をみながらあたしは言った。

「何の匂い？」

ママはフレアスカートの裾《すそ》をひるがえしながら歩く。はだしのくるぶし、赤いサンダル。

「夕方の匂い」

不思議なことに、夏の夕方の匂いはどの町でもおんなじだ。

*

『積木』は結構はやっている。『デイジー』は長居をする常連が多かったけれど、『積木』のお客さんはスーツ姿の勤め人が中心で、二、三人でさっと来てさっと帰っていく。つぶれるまでのむ人もいることはいるが、比較的たちのいいお客さんが多いように思う。地区センターやユーカリが丘あたりに住んでいる人が多いようだ。

「おつかれさま」

この店では、お客さんではなく店長がよくチョコレートをくれる。

「どうしたんですか、エリカのチョコレートなんて」

「好き？　そこのチョコレート」

店長はゴルフ灼《や》けをした中年で、いつも黒いポロシャツを着ている。

「だめですよ、従業員を甘やかしちゃ」

私はできるだけ冗談めかせて、でもできるだけ距離をおいた言い方をする。店長はひとりものなのだ。

「じゃ、あと頼むね」

おつかれさまでした、と言って店長を見送ってから、私はコーヒーを一杯のむことにしている。いつもまほちゃんとしていたように。それから戸じまりをして、自転車に乗ってうちに帰る。まっすぐ。草子の待つ我が家に。

星の多い夜だ。東京を離れて気がついたのだけれど、夜空には随分とたくさんの星がある。

ペダルをこぎながらロッド・ステュアートをハミングした。

夏は好きな季節だ。神様が私の人生に、二つ目の宝物を与えてくれた季節。街は日ざしで溢《あふ》れていた。毎日毎日、私たちはそれぞれの場所をぬけだしては会った。くらくらするような熱さのなかで。一瞬とも永遠とも思える信じられない時間の堆積《たいせき》のなかで。

もっとも、神様が私の人生からそのおなじ宝物を、とりあげてしまったのもまた夏のことだったけれど。

もしもあのとき草子のことがわかっていたら、物事はちがったふうに動いていただろうか。

うちに帰ると草子はもう眠っていた。私もシャワーをあびて、すぐ布団《ふとん》に入る。私の眠る布団は、もう何年も草子が敷いてくれている。

暑がりの草子はタオルケットを二つ折りにして、お腹《なか》にだけかけて手も足もだして寝ている。かすかな寝息、汗ばんだ額。私はうちわで草子の足元をあおぐ。

来週はお盆でピアノも『積木』もお休みなので、草子と海にいくことにしている。

——房総《ぼうそう》にいってみましょうよ。

数日前、地図をみて私が言うと、草子はぼそっと、

——いいけど。

とこたえた。

——海、好きでしょう？

私が訊くと、草子は思案顔のまま、うん、とうなずく。ビーズをつなげて遊んでいるところで、台所のテーブルいっぱいに、きれいな色のこまかいかけらがひろがっていた。

——でも、
顔を上げた草子は、ひどく切実な様子にみえた。

——でも、せっかく海にいくのなら高萩にすれば？

ママ高萩の海を気に入ってたじゃない、と言う。

——そうねえ。

高萩にいく気はなかった。ふり返ったり、強くつながったりすればいつか身動きができなくなる。

——じゃあいっそ伊豆の方にいってみる？　温泉もあるでしょ。

草子は怪訝《けげん》な顔をした。

——いいよ、房総で。

あのとき草子がつくっていたのは、赤いりぼん状の地に白い花模様の入った細い腕輪だった。

うちわを置き、横になったがなかなか寝つけなかった。もともと寝つきはいい方なので、めずらしいことだ。みかん色の豆電球にぼんやりとてらされた、白い布団カバーをいつまでもみていた。

＊

この町にきていちばん変わったことは、ママと朝ごはんを食べるようになったこと。ママが朝から仕事にいくからだ。でもメニューは変わらない。シリアルに卵、紅茶、ときどき果物。台所の冷蔵庫にぶらさがったラジオから、英語のニュースと天気予報。

「きょうも暑くなりそうね」

顔を半分片手でおおい、あくびをしながらママは言う。

「きょうも美術館にいくの？」

あたしは、たぶん、とこたえた。きょうはママがピアノ教室だけで『積木』にいかない日だ。

「ね、お昼休みに待ちあわせをして水着を買いにいかない？」

コーヒーカップごしに問うようにあたしをみて、ママが言った。

「せっかく海にいくのにスクール水着じゃつまらないでしょう？」

すごく短い髪をしているせいか、白い木綿のノースリーブブラウスを着たママはとても涼しげにみえる。あたしは朝からこんなにむし暑いのに。

「いいけど」

あたしは言いよどんだ。

「いいけど、何？」

「……べつに」

じゃあきまり、と言って、ママはにっこり微笑《ほほえ》んだ。

「十二時ちょうどにピアノ教室ね」

コーヒーをのみほして立ち上がる。あたしは、わかった、と言ってうなずいた。

余計な心配なのはわかっているけれど、あたしは何か物を買ってもらうとき、お金のことが心配になる。生活に必要なだけのお金は稼いでくるから大丈夫、とママは笑うし、郵便局にはあたしの名義の貯金が一つあることも知っている。知っていても、でも心配は減らない。

ママはお金や通帳や印鑑を、黒いパーティバッグにいれている。火事や地震のときにすぐ持ってでられるように。パーティバッグは昔桃井先生に買ってもらったものだという。黒いビーズがたくさんついた、とても可愛《かわい》いビロードのバッグだ。

——もうこれを持ってパーティにいくようなこともないと思うから。

いつかそう言ったママの横顔は、ぞっとするくらい淋《さび》しそうだった。

「じゃあいってくるわね」

仕度をおえたママが言った。

「あとで庭に水をまいといてね」

「はい」

でかけるママのうしろ姿。煙草《たばこ》とボディシャンプーのバニラと香水のまざったようないつものママの匂い。

「じゃあ十二時にね」

ドアがしまったあとも、あたしはすこしのあいだ玄関に立っていた。

姥《うば》ヶ池

畳に足を投げだしてすわり、エスプレッソをのみながら、私は草子の帰りを待っている。仕事のない月曜日。庭は雑草がのび放題で、網戸ごしに夕方の風が土の匂いを運んでくる。こうしておくと、草子はいつもおこる。網戸がところどころ裂けているので、蚊が入ってくるからだ。

九月。私は目をとじて、弱い西日をまぶたの上にうけとめる。

——逃げるって、どこへ？

私が訊《き》くと、あのひとは、わからない、とこたえた。

——一緒にいってはだめ？

重ねて訊くと、困ったような顔をした。

——ごめんなさい。

私はあわててあやまった。あのひとを困らせたくはなかった。かなしそうな顔はみたくなかった。蒸し暑い夕方だった。私たちは北の丸公園にいて、緑の匂いがたちこめていた。あのひとは腕に力をこめて私を抱き、そのままの姿勢でごめんと苦しそうにつぶやいたあと、急に体をはなして私の顔をみて、

——かならず戻ってくる。

と言ったのだった。かならず戻ってくる、そうして俺はかならず葉子ちゃんを探しだす、どこにいても。

あのひとには奥さんがいたし、私には桃井先生がいた。あのひとの店は臨時休業のシャッターをおろしたままだったし、「にっちもさっちもいかない」状態は、「借金とりにさえ同情されるありさま」で、やつれた笑顔でそんなふうに言うあのひとをみても、私にはどうしてあげることもできなかった。十二年前。私は二十五歳だった。

立ち上がって台所にいく。煙草に火をつけて煙をすいこむ。急に涼しくうす暗い場所にきて、肌がひやりとした。はだしで踏む台所の床はつめたく、ところどころ重たくきしむ。昼間、うちのなかはひどくしずかだ。

五時をすぎたが、草子はまだ帰ってこない。このごろ草子はいつでも遅い。遅くなるのは友だちのできた証拠なのだから、たぶんよろこんでやるべきなのだろう。

私はラジオをつけ、冷蔵庫から缶ビールをだしてあけた。

きのう、大下のおばあちゃんがブルグミュラーをおえた。最後の曲は「貴婦人の乗馬」で、あの軽やかなテンポの曲を、彼女は背すじをのばし、細くて骨ばった、無数の

皺《しわ》とでっぱりと、複雑なたるみと褐色濃淡の斑点《はんてん》のある美しい腕で、二度ほどつっかえたものの全体として非常に小気味よく、リズミカルに弾きおえた。私は楽譜に鉛筆でまるをつけ、わきに、FABULOUS!《すばらしい》と書き込んだ。昔、桃井先生が私の楽譜にしてくれたように。

もっとも、先生はめったにほめてくれなかったので、私がその言葉をもらえたのは、大学の四年間を通じて二度だけだったけれど。

*

木の幹を半分に割って横にしたかたちのベンチをまたぐように腰掛けて、沼田忍くんはたて笛で「冬の旅」を吹いている。ほっぺたがふくらむので、色白のまるい顔がますますまるくみえる。うつむくので、まつ毛がすごくながいのもわかる。笛の穴をおさえる指先の、短く切ってあるのに泥のつまった汚れた爪《つめ》。

「だいぶうまくなったと思う」

沼田くんが吹きおわるのを待って、あたしは言った。

「今度はたぶん合格するよ」

沼田くんは視線を上げ、ほんとうに嬉《うれ》しそうな顔をした。でも、沼田くんが吹くと、たて笛は不思議なほど心細げな音をだす。

夏休みがおわってから、あたしたちはときどき一緒に帰る。方向がおなじだし、二人とも塾とか習い事に通ってないし、どちらも母親が働いていて、まっすぐ帰ってもうちに誰もいない。それでなんとなく城址公園をぶらぶらしたり、きょうのように姥ヶ池のそばでうだうだしたりする。市立美術館の喫茶店で、沼田くんのママにケーキをごちそうになることもある。

沼田くんとは、夏休みに親しくなった。美術館でしょっちゅう顔をあわせても、はじめのうちはつい目をそらしていたのだけれど。

――いつから大人の服を着てるの？

ある日あたしはそんなことを訊いた。とても気になっていたのだ。沼田くんのはいている、グレーのだぶだぶのずぼんが。

――おととし。

あっさりと沼田くんは言い、三年の三学期から、とつけたした。

――お母さんが選ぶの？

うん、と言って、沼田くんはうなずいた。着るものにも体型にも、全然頓着していないようだった。あたしは思いきって言ってみた。

――もうちょっと違う服にすればいいのに。

沼田くんはおとなしく聞いている。

——ほら、おんなじ大人の服でもいろいろあるじゃない、ジーパンとか、チノパンとか。グレーのだぶだぶのずぼんはあきらかに異様だった。クラスじゅうから浮いていた。小学生のおじさんっていう感じ。ウエストに大人みたいなベルトをしているからなおさら変なのだ。

わかったんだかわからないんだか、沼田くんはべつに気を悪くしたふうでもなく、だからといって服装を変える気も全然ないようで、曖昧《あいまい》ににやにや笑っているだけなのだった。

宿題のこともそうだ。あと二日で夏休みがおわるという日、沼田くんは宿題を一つもやっていないと言って、あたしを仰天させた。

——ええっ、ほんとうに一つも？

宿題は結構たくさんあった。

——ドリルはみせてあげるから、写しちゃいなよ、とりあえず。

みせてあげると言っても手伝ってあげると言っても、でも沼田くんは興味がなさそうだった。

——いいよ、べつに。

と言って、にやにやしている。あたしはおどろいて、それからほんのすこし感心した。

あたしにはできないことだから。

結局沼田くんは宿題を提出しなかった。でもともかくそんなことがあって、新学期になると、沼田くんはなんとなくあたしになついてきたのだった。

「ケーキ食べにいく？」

たて笛を袋にしまいながら沼田くんが訊き、あたしは首を横にふった。

「きょうはやめとく」

池の表面に夕方の日があたっている。沼田くんについてあたしが気に入っていることの一つは、こういうときに理由を尋ねたりしないことだ。

「みて！」

あたしは言い、歴史博物館につづく細い道をあごで示した。真黒な猫がゆうゆうと歩いている。猫の背中の毛にも、西日があたっていた。

「きれい」

この町の夕方が、あたしはとても好きだ。

うちに帰ると、ママは台所で本を読んでいた。昼間の仕事がお休みの月曜日にふさわしく、てろんとした素材のプリントのワンピースを着ている。

「おかえりなさい」

ママは本から顔をあげ、あたしをみてにっこりわらう。小さな灰皿に、吸殻が山のようになっている。

「ナナを憶《おぼ》えてる？」

あたしはいきなり言った。ナナは、昔、川越《かわごえ》に住んでいたときに、おなじアパートのひとが飼っていた猫だ。

「きょうね、ナナにそっくりな猫をみたよ。黒くてきれいなの」

「ナナを？」

ママは怪訝《けげん》な顔をした。

「どこで？」

ナナのことは、ママもかわいがっていた。短い尻尾《しっぽ》に愛嬌《あいきょう》がある、と言っていた。

「姥ヶ池」

ママが黙りこんだので、今度はあたしが怪訝な顔をした。

「なに？　どうしたの？」

ママはまじめな表情で、

「ナナ、死んだのかもしれないわね」

と言う。あたしはおどろいた。

「なんで⁈」

つい大きな声で訊いた。

ママは今朝ナナの夢をみたのだそうだ。川越のアパートの入口の、郵便受けの下にながながとねそべって、気持ちよさそうに眠っているナナの夢。

「川越を離れて二年になるのに」

伏目がちにママは言う。短い髪、とがったあごの横顔。

「ナナの夢をみたのなんてはじめてよ」

きっと挨拶《あいさつ》によってくれたのね、と言ったママの声は、そのことをもう全然うたがっていないふうだった。

「それだけ？」

あたしが訊くと、

「そのおなじ日にあなたもナナをみるなんて」

と、ママは煙草を一本くわえて火をつけて言う。

「ナナじゃないよ。ナナに似た猫だってば」

でも、無駄だった。

「大丈夫よ」

ママはあたしを安心させるように言った。

「ナナは十分長生きしたし、かわいがられた動物はみんな天国にいくんだから」

あたしは返事をしなかった。だってそんなの変だと思ったから。それじゃあかわいがられなかった動物は？　って、言わなかったけれどそう思ったから。

＊

十月になると、風が秋めいて清澄《せいちょう》になり、しつこかった残暑もおさまって、煙草もコーヒーもぐっとおいしく感じられてしまう。

この町でも、私は職場に自転車で通っているのだけれど、秋は、自転車のペダルがいちばん軽く感じられる季節だ。

午前中ピアノ教室で二時間教え、買物をして帰ってお昼をすませ、午後洗濯をした。それから草子のウォークマンを借り、音楽をききながら散歩をした。

空堀《からぼり》の土手は急なので、ゆっくり降りようと思っても駆け足になってしまう。大きな木がたくさん植わっている。

私は一人で歩くのが好きだ。一人のときは、大きな歩幅で足早に歩く。どんどん歩く。ひたすら前に。ときどき奇妙な感覚にとらわれる。めったにないことだが、でもあの感覚にとらわれたくて、歩いているのかもしれない。それは、こうして歩いていると、向うからふいにあのひとが歩いてくる、という感覚だ。それはあくまでも感覚であって、想像とか期待ではない。あのひとが、正面から、まっすぐ。いきなり。

私は、やっぱり、と思うだろう。どうして、とか、まさか、ではなく、やっぱり、と。あのひとはわらっている。知っていたのだ、私がこっちから歩いていくことを。私たちはどちらも走ったりしない。一歩ずつ相手に近づくその一歩一歩が、誰かに見張られているとでもいうように。歩数や歩幅をまちがいでもしたら、たちまち相手が消えてしまうとでもいうように。

たとえばいま、芝の枯れ始めたこの空堀の先にあのひとの姿がみえても、私はおどろいたりしない。やっぱり、と思うだけだ。ずっと待っていた、と。

声をかけられたのに気がつかなかったのは、音楽をきいていたせいだ。

「先生！」

それでも、二人で大きな声をだしてくれたのだろう、気がついて見上げると、大下さんと御主人が立っていた。

「まあ」

私はあわててイヤフォンを耳からはずす。

「こんにちは。お散歩ですか？」

土手の上、平らなところを歩いていたらしい老夫婦に頭を下げた。

「はい」

大下さんはにこやかにうなずき——腕を御主人の腕にからませている——

「先生も？」

と訊く。二倍以上も年の離れたひとに先生などと呼ばれるのは困惑することだ。

「はい」

大人によびとめられた子供みたいな気持ちになる。うす水色の空、夕方の空気。

私たちはもう一度会釈《えしゃく》をしあい、それぞれの道に戻った。連れ立って歩く二人のうしろ姿を見送りながら、私は軽い喪失感に包まれる。私の人生からもう永遠に失われてしまったもの。手をはなしてしまったもの。

インモラル
私はその言葉をおもった。恋愛はインモラルな人間の特権だ、と、あのひとは言った。そのとおりかもしれない。でも、インモラルな人間には絶対にいかれない場所もある。私がいくら極楽とんぼでも、そのことは知っている。かたときも忘れたことはない。

夜ごはんを食べたあと、私が身仕度をするのを草子はそばでみていた。ママが仕度をするところをみるのが好き、なのだと草子は言う。

昼間、買物のついでに本屋によった。私は、本はみんな図書館で借りることにしているので、めったに本屋にはいかない。私が本屋にいくのは本を買うためではない。

雑誌をチェックするためだ。『プレイヤー』とか『ギターマガジン』とか『ジャズライフ』とか、昔、あのひとの店に置いてあったような音楽雑誌。「GM SQUARE」とか「CLASSIFIED BAZAAR」とか、その手の雑誌には情報交換の頁《ページ》があって、楽器を売りたいとか買いたいとか、ヴォーカル募集とかお友達募集とか、まじめなものからおかしなものまでいろいろなアピールがあるのだが、もしもあのひとが私を探してくれていたら、こういう場所を利用するかもしれない、と思う。わからないけれど。

でももし万が一そういうことがあったとき、私がその伝言を受けとりそびれるようなことはしたくない。それで、フェンダー・オールドアンプ譲って下さい、とか、スチールG（フェンダーUSAオールド・タイプ）8弦×3段ネックでケース付を45万円で売ります、とか、d、b急募、当方g、ライブで跳ねるトリオ・バンドを組みませんか、とか、一緒にライブにいって下さる方御連絡下さい、とか、毎月毎月よくこんなにたくさん、と思うような似たような情報を、私はいちおうチェックすることにしている。

何年も前、東京を離れたばかりのころは、私の方から伝言を載せた。

楽器店パサドのオーナー御連絡下さい。

とか、

イエペスのギター曲テープを探しています。モーツァルトの主題による変奏曲で始まって、JUEGOS PROHIBIDOS で終わるやつです。

とか。イエペスのテープはいつかあのひとがつくってくれたものだ。

経営しきれずに店をしめたとはいえ、あのひとが音楽と関係のない世界にいるとは考えられないので、こういう雑誌をみてくれる可能性はあると思った。もしもみてくれたら――ただみてくれさえしたら――、すべて上手《うま》くいくはずだった。

投書には返事がいくつかきたが、どれもひやかしかいたずらだった。

「ピンクはつけないの？」

鏡に向かって口紅をぬっていると、うしろから草子が言った。

「ピンクをつければかわいいのに」

草子はピンクが好きだ。

「ほら、高萩のまほちゃんがつけてたようなやつ」

私は顔をしかめ、鏡の中の草子と目をあわせて意思表示をする。

「嫌いなの？」

「ママには似合わないわ」

口紅は赤に決めている。ふうん、と言って、草子は不興気な顔をした。

仕事のあと、コーヒーをいれようとしたら店長が焼きうどんを作ってくれた。メニューにはないが、客に頼まれれば作る得意料理らしい。きゃべつと人参《にんじん》、それにコンビーフが入っていた。

「おいしい」

お世辞ではなかった。

「ワインが合うんだよ」

店長は言い、冷蔵庫から白ワインをだしてついでくれた。

「過保護ですね」

冗談めかせて言うと、店長は首をすくめた。トレードマークの黒いポロシャツ。

「誰にでもするわけじゃない」

私は、

「恐れ入ります」

と言った。これでおしまいのはずだ。店長も私も、言外の言葉を読みとれないほど――あるいは、読みとっておきながらそれを無視するほど――、若くはない。

「じゃ、あと頼むね」

店長は言い、裏口からでていった。

CLOSED の札をさげたあとの店はしずかだ。電気も半分消してしまうし、さっきまでいた人々の、気配や匂《にお》いが残っていて淋《さび》しい。私は食器を洗い、ゴミ袋の口をしばっておもてにだす。

骨ごと溶けるような恋

クリスマスはたのしかった。夜ごはんのあと、いちごのデコレーションケーキ——まるのままのやつ。生クリームがこれでもかというくらいいっぱいついていて、普段のママなら絶対買わないようなやつ——を、ママと二人で全部（！）食べた。全体を四つに切って、それを一人二切れずつ。

——どうしてクリスマスだけ特別なの？

あたしが訊《き》くと、ママはケーキをほおばりながら、

——口実はなんでもいいのよ。

とこたえた。

——特別な日、っていうのがあることが大事なの。お誕生日とかクリスマスとかね。

——ふうん。

あたしはいちおう相槌《あいづち》をうったけれど、やっぱり納得がいかなかったので、

——なんで？

と訊いた。ママは目をわざと大きく見ひらいて、おどろいた表情をつくった。

――だってその方がたのしいでしょう？

あたり前のことを訊きなさんな、という顔だ。それからまた一口ケーキを食べて、うーん、とうなる。

――このまっ白でふわふわのクリームの、見事な甘さ、植物性脂肪の味！

あたしはわらった。けなしながらも、ママが嬉《うれ》しそうだったから。

――身体《からだ》に悪そうなものを食べるときって、ちょっと興奮するのよ。

言い訳をするみたいに、ママは言うのだった。

それから、ママがピアノでクリスマスソングをいくつか弾いた。あたしは「ガブリエルズ・メッセージ」とか「ドゥ・ユー・ヒア・ワット・アイ・ヒア」のように、もの哀《がな》しくて美しいメロディのものが好きだけれど、ママは「ハブ・ユアセルフ・ア・メリー・リトル・クリスマス」とか「ウィンター・ワンダーランド」とか、もっとたのしげなものが好きだ。ママの言葉で言えば、「あかるくて温かな感じのもの」。ママがピアノを弾いているあいだ、あたしはそばに立ち、ママの力強い指が、信じられないくらいしなやかに動くのをみていた。

お風呂《ふろ》のあと、パパについて話した。もしもパパがそばにいてくれたら、という話。これは、ママとあたしが二人ともすごく気分のいいときに、好んで話す話だ。もしもパパがそばにいてくれたら、パパがあたしにしてくれるであろうこと。

――キス！

あたしは言った。このことを話すとき、ママが必ず最初にそう言うので、いつごろからか、ママよりはやく、競争みたいにそう言うきまりになっているのだ。

――そうね、キス。

ママはゆっくりくり返す。

――あなたの身体の表面で、パパのキスをのがれられるところはきっとわずかよ。パパはどこにもかしこにもキスをするもの。まぶたにも手首にもみぞおちにも。

あたしはうれしくなって、つい、うふふ、とわらってしまう。

――豆笛もつくってくれる。

それから次の項目に移った。

――腕枕《うでまくら》をしてくれる。

これはママ。あたしたちは思いつくままに列挙する。

一緒に散歩をしてくれる。怖い夢を追い払ってくれる。つめたいおいしいカクテルをつくってくれる。かたちのいいおでこや、すばらしいふくらはぎにさわらせてくれる。水泳やテニスを教えてくれる。バッティングセンターにつれていってくれる。抱きしめてくれる。朝起きると、おはよう、と言ってくれる。あたしたちが二人っきりで心細い女たちではないのだとわからせてくれる。ずっとここにいてくれる。あたしたちは布団《ふとん》に入っても列挙しつづけた。一緒にアイスクリームを食べてくれる。あたしに肖像画をかかせてくれる。パリに連れていってくれる。髪の毛をとかさせてくれる。

ママとあたしのクリスマスには、贈り物をする習慣はない。部屋を飾る習慣もない。あたしたちはパパについて話し、ちょっとだけしあわせな気持ちでぐっすり眠った。

年があけ、三学期になった。あたしは学期のなかで三学期がいちばん好きだ。短いし、慣れてるから。慣れてるっていうのはいろんなものに。慣れていない一学期がいちばん嫌い。

慣れるというのは大事なことだ、と、あたしは思う。いつかママにそう言うと、ママは不思議そうな顔をしたけれど。

＊

「たらい？」

常連客にうすい水割りをつきあいながら、店長がカウンターごしに訊き返した。

「ええ、たらい」

私がうなずくと、そりゃあいい、と言って常連客はわらった。私は手足がすぐにつめたくなるたちなので、よくたらいにお湯をはり、そこに足をつけて本を読む。お客に水割りをつくりながら、その話をしたのだった。

「すぐぬるくなっちゃうから、ポットに熱いお湯をいれてそばに置いといて、ときどき差し湯をするんです」

「葉子さんはかわってるからな」

客たちはまたわらった。

「あったかくて気持ちいいですよ」

一月。今夜おもてはとても寒い。ドアがあくたびにつめたい風が流れこんでくる。お客たちのコートにしみついた、冬の外気の匂《にお》い。

「でも、女性は寒がりなくらいの方がいいな」

初老の客が言った。

「あんまり暑がりの女性はどうもね、慎みがないような気がする」

私は心の内だけで笑った。ばかげた意見だ。でも、桃井先生もおなじようなことを言っていた。

先生は私が肌をみせるのを嫌った。夏の日の外出は、肌を露出させない方が涼しいのだと言った。そのとおりだった。先生にはいろいろなことを教わった。暑いときにはつめたいものではなく、熱いものをのむ方がいい、ということや、寒いときには服を重ねるより足元をあたためる方がいい、ということや。

一方で、先生には知らないこともたくさんあった。ごくありふれた植物の名前とか、おいしいジャンクフードとか、クモやヤモリがいい動物だということとか。

ときどき先生は子供のようだった。レストランのテーブルで、お皿に見馴《みな》れないものをみつけると顔をしかめた。

——これは何かな。

不安そうにそう訊いた。私はわからないものでも平気なので最初に食べた。砕いたピスタチオだったわ、とか、お魚のすり身みたい、とか、教えてあげるとすこしほっとした顔になる。それでもなお、

——食べても大丈夫かな。

と疑わしそうにつぶやいた。

——大丈夫よ。

私が言うと、先生は、そう、とうなずいて、ほんとうに信頼しきった様子で食べるのだった。そういうとき、私はいつも胸が痛くなった。このひとは、一体どうして私の言葉をこんなに信じることができるのだろう。そう思うと、泣きたい気持ちになるのだっ

た。

桃井先生はやさしいひとだった。あの日々も幸福だった。

でも、私はいまここにいる。

「僕、今度は焼酎《しょうちゅう》がいいな。お湯わりで、梅干しを入れて」

初老の客が言った。

うちに帰ると、草子は人形をならべたまんなかに寝ていた。このところぐんと大人びてきたのに、眠るときの習慣はかわらないようだ。私は服を着たまま布団に侵入し、うしろから草子を抱きしめて、頭のてっぺんにキスをした。草子は苦し気に身動きし、

「寒い」

と言ったあと、いじらしい律義《りちぎ》さで、

「おかえりなさい」

とつけたした。私がつめたいほっぺたをくっつけても我慢している。

「ただいま」

私は愛をこめて頬ずりをした。

＊

日曜日、晴れ。ママは朝から機嫌がいい。きのう図書館で借りてきた本が、すごくおもしろいのだそうだ。ずっとそれを読んでいる。

「どんな話なの？」

あたしが訊いても、

「だめ。とてもひとことでは言えないわ」

なんて言う。それからちょっと反省したらしく、

「推理小説よ」

とつけたした。ママは熱中しやすいたちだ。洗濯機のとまった音にも気づかなかったらしいので、洗濯物はあたしがかわりに干してあげた。

午後、退屈だったので一人で散歩にいった。中学と高校にはさまれた道をまっすぐ歩き、城址公園にいく。ママとあたしの、いつものコース。からっ風が強くて寒い。こういうとき、ママはまいている衿巻《えりまき》をはずして、頭と顔にまきつける。はずかしいからやめてと言ってもやめてくれない。

――この方があったかいんだもの。

快適なことが大切なのだとママは言う。

――ひとがどう思うかなんて気にするのはやめなさい。

それでもあたしがはずかしがると、ママはぴしゃりと言い放つ。

――くだらない。

「くだらない」

あたしはママのまねをして、声にだして言ってみる。一人で。空気の澄んだ冬の道で。空堀の、枯れた芝生に腰をおろす。青い空。あおむけに倒れて、木の枝ごしに雲を眺めた。横を向くと、ほっぺたに枯れてのびた芝があたってちくちくする。

起きあがり、ポシェットから爪《つめ》みがきセットをとりだした。爪みがきセットはこのあいだ薬屋さんでママに買ってもらった。

土手にすわって爪をみがく。頭上高くでヘリコプターの音がする。あたしはポシェットからアリーもとりだして、隣に置いた。

昔、あたしのママは、骨ごと溶けるような恋をした。骨ごと溶けるような恋、というのがどういうものであるにせよ、その結果あたしが生まれたのだ。

――あなたにもいつかああいうことが起こったら素敵ね。

ママはあたしに何度かそう言った。でもそのたびに、いかにもすまなさそうに、

――おんなじことは起こるはずがないけれど、まあ、それに類することがね。

と言い直すのだった。

あたしは爪みがきをしまい、自分の両手を満足して眺める。爪は一つずつ全部つややかで、さわると気持ちよくすべすべ。

——おんなじことは起こらないの？

あたしが訊くと、ママはこたえる。

——そりゃあ、あなたのパパみたいなひとは世界じゅうにただ一人だもの。

うっとりした声で、でも実にきっぱりと。あたしはときどき思うのだけれど、ママはイカレている。パパに関して、あのひとは完全にイカレている。

そばを犬の散歩のおばさんが通る。おばさんはマスクと軍手をつけている。厚着をすればするほど寒そうにみえるのはどうしてだろう。犬は柴犬《しばいぬ》で、赤い首輪をつけている。鼻を地面におしつけながら、四本の足が枯れた草と土を踏む音。

もっと小さいころは、いつかパパに会えると信じていた。こうしているいまもパパはあたしたちを探してくれていて、いつかかならずみつけだしてくれるのだと信じていた。

あたしは靴下をのばし、立ち上がっておしりをはたく。そろそろ帰らなくてはいけない。遅くなるとママが心配するから。あたしはかがんでアリーを拾いあげ、土を払ってポシェットにしまった。

うちに帰るとコーヒーの匂いがして、玄関に男ものの靴が脱いであった。かたちのくずれたビット・ローファー。あたしは不愉快な気持ちになる。ただいまは言わずに中に入った。

「おかえりなさい」

あたしをみると、ママはあかるい声で言った。台所のテーブルでコーヒーをのんでいる。

「こんにちは」

『積木』の店長だ。黒いセーターに白いずぼん、白い靴下をはいている。

「こんにちは」

あたしはぶすっとした顔――ママに、固い表情といわれる顔――で挨拶《あいさつ》をした。テーブルにゴディバの箱が置いてあるのがみえたけれど、ママはあそこのチョコレートがあんまり好きじゃないことを、あたしは知っている。

「本は？」

あたしが訊くと、ママはきょとんとした顔をした。

「本？」

「そう。推理小説。きのうから熱中してたやつ」

ああ、と言って、ママはにっこりする。

「読みおわったわ」

煙草《たばこ》に火をつけて、煙をふーっと吐く。

「みて」

ママは言い、小さくたたんだ毛布のようなものをみせた。ベビーブルーのきれいな毛布。

「店長にいただいたの」

その言い方と、煙草を持った方の手で、テーブルの上の毛布をひょいとつまんで持ち上げたしぐさで、あたしにはママがあんまりよろこんでいないことがわかった。

「ふうん」

あたしはちょっと機嫌を直して言った。ママにはそれがわかったと思う。あたしたちって世界一性格の悪い母娘《おやこ》だ。きっと。

「たらいにお湯をはるより手軽だし安全だと思ってね」

店長は嬉《うれ》しそうだ。

＊

子供のころ、冬の夜にはよくココアをのんだ。ココアは母がつくってくれた。母のつくるココアは濃く熱く、注意して唇をつけてもやけどしそうだった。母はそれを小さな鍋《なべ》でつくった。最初にココアをよく練ることと、最後に塩をほんの気持ちばかり入れることがおいしくするコツだと言っていた。でも私が草子につくってやるのはインスタントなので、粉をカップにあらかじめ入れておき、わかした牛乳をそそぐだけだ。それでも草子はとてもよろこぶ。店やでのむよりおいしいと言う。

「だいたいあの店長は変だよね」

ココアのカップを両手で持って、畳に足をなげだしてすわって草子は言う。

「変って？」

「うちまで来るなんて」

私は、そうねえ、とこたえた。

「それにやせすぎてるしさ」

言いたい放題だ。

「そんなことを言うもんじゃないわ」

私は母親らしくたしなめたけれど、草子は動じなかった。

「ママだってそう思ってるくせに」

私は草子のつやつやの髪に唇をつけた。もう黙って、という意味だ。

草子がまだ赤ん坊のころ、私は二度ずつキスをしていた。

——これはママから。

——これはパパから。

そんなふうに言って。でもそれはすぐにやめた。あのひとのキスはあのひとにしかできない。

私は窓をあけて庭に身をのりだす。

「星がきれいよ。ほら、あんなに」

草子はろくに見もせずに、寒いからもういい、と言う。私は、自分が星について何も知らないことをくやんだ。あれがオリオン座よ、とか、あれが北極星よ、とか、草子に教えてやれればよかったのだけれど。昔、私の母がしてくれたように。あのひとがいたらしてくれるであろうように。

「寒いってば」

草子は言い、さっさと自分で窓を閉めてしまった。

「ロマンティックじゃないのね」

私が言うと、呆《あき》れたようにわざと目をまるくして、

「ママはロマンティックすぎるのよ」

と言う。

「それは失礼」

私はこたえ、それから私たちは、しばらく黙ってすわっていた。しぼったヴォリウムでつけっぱなしの台所のラジオから、何だかわからない最近の曲が流れている。

——葉《よう》はトッポジージョになるんだってさ。

私は父の胡坐《あぐら》の上にすわっていた。そこが私の御座所だった。父は、父の匂いがした。

——葉子はおもしろいのね。

たのしそうに母は言い、私は、自分の言葉で両親が幸福そうに笑うことが嬉しかった。

二月になり、私は三十八になった。三十八だ。おどろいてしまう。

——ほんとうに行くなんて信じられない。

私が旅にでた日、母は泣いていた。

——正気の沙汰《さた》とは思えないわ。赤ん坊を抱えて、行くあてもなくて。

父はなにも言わなかった。かなしそうな顔をしていたが、止めても無駄だということを、たぶん知っていたのだろう。

——葉はトッポジージョになるんだってさ。

私はときどき、草子を彼らに会わせたくてたまらなくなる。

二月。

庭の沈丁花《じんちょうげ》が咲いた。早朝、庭にでると強い芳香がする。ガラス窓にうっすらと霜がおりていて、指で拭《ぬぐ》うとたちまち指先に冷気がささる。靴下が薄いと、畳の感触もおそろしくつめたい。

秋の風

一度出会ったら、人は人をうしなわない。

たとえばあのひとと一緒にいることはできなくても、あのひとがここにいたらと想像することはできる。あのひとがいたら何と言うか、あのひとがいたらどうするか。それだけで私はずいぶんたすけられてきた。それだけで私は勇気がわいて、ひとりでそれをすることができた。

東京を離れて、もうすぐ十二年になる。いつか母にいわれたように、こんなことは「正気の沙汰《さた》ではない」のかもしれない。でもともかく、私も草子も元気で、毎年一つずつ年をとり、仕事をしたり眠ったり水泳大会にでたりしながら暮らしている。十二年間東京の誰にも連絡していない。桃井先生は勿論《もちろん》、何人かの友人にも、父にも母にも従妹《いとこ》たちにも。

連絡を完全に断つことなんて、存外簡単なことだった。いないつもりになればいいのだ。はじめからいないつもり、帰る場所などないつもり。そう錯覚しない限り、とても二人でやっていけない。

八月。

佐倉に来て二度目の夏だ。アパートの庭は今年も雑草が丈たかくのび、風のない夕方など草いきれでむうっとするほどだ。

色がかわり、ほとんどあめ色になった畳は、はだしで踏むせいかじっとりと湿って、歩くたびにみしりときしむ。

午後一時、私は一人でそうめんを茹《ゆ》でて食べ、食後に温室みかんを一つ食べた。弱い風に鳴る風鈴の音。

温室みかんは店長にもらった。お客さんからのいただきものだそうだ。夏のみかんは小さくて皮がうすく、いたいたしいくらい甘い。

私は最近店にでるのが億劫《おっくう》になっている。店長がやさしすぎるのだ。私はやさしい男のひとが苦手だ。

みかんの皮を屑籠《くずかご》に捨て、台布巾《だいぶきん》で指先を拭うと、私は畳に腹ばいになった。首が重くて手足が怠《だる》い。むし暑さのせいだ。引越しについて考えた。

ゆうべ草子と花火をした。

近所のコンビニエンスストアで買ってきたファミリー花火。二人ともゴムぞうりをつっかけて、草ぼうぼうの庭にでてした。夏のおわりの夜は闇《やみ》が濃く、虫の声がして、夕方降った雨のせいで、土の匂いがたちこめていた。

――きれいな骨。

私は草子の背中をみて言った。草子の背骨はほんとうにあのひとの背骨に似ている。勿論骨が直接みえるわけではないけれど、体温のむこう側、皮膚のむこう側に、私にははっきりそれがわかるのだ。

――髪がのびたわね。

私は草子のやわらかい髪をなでた。

――花火のけむりってカゲキな匂いだね。

草子はそんなことを言った。

――過激な？

変な形容詞だと思ったけれど、草子がひどくまじめな顔でうなずいたので、私は、そうね、とだけ言った。

昔、桃井先生と二人でよく花火をした。先生とすごしたいくつもの夏。先生は不器用で、ろうそくに火をつけるのが下手だった。二人で路地にしゃがみこみ、風が吹かないように祈りながらなんとなくそそくさと、互いに相手に気をつかいながら遊んだ。私にとって、自分が花火をすることよりも、先生がたのしんでくれることの方がずっと大切だったし、先生もまた、おなじように私をたのしませたいと——切に——思ってくれていた。

ショートパンツからすらりとのびた草子のまっすぐな足。手に持った花火のひかりが、腿《もも》とすねの前面を照らしだしている。

——記憶に残ってしまう匂いね、花火のけむりは。

ろうそくに火をつけようと苦心している桃井先生の横顔をおもいだしながら、私は草子にそう言った。

＊

「野島さんは何でもできるから」

困ったような顔で沼田くんが言った。美術館の喫茶店でクリームソーダをのみながら。ガラスのむこうは溢《あふ》れる日ざし。退屈な夏休み。

「何でもって？」

「勉強も、音楽も、図工も。体育はそんなでもないけど、でも水泳は三級をとったし」

白いランニングシャツにグレーのずぼん、白い運動靴。気弱なおじさんといった様子の沼田くんは、でも案外子供っぽい顔をしている。

「関係ないよ、そんなこと」

　あたしは言った。あたしたちは新学期のクラブと委員会について話しているところだった。あたしは園芸部で、委員会は学期ごとにいろいろ、沼田くんはクラブには入ってなくて、委員会はいつも変なのをおしつけられてしまう。掃除当番でもないのに「報告」のために残らなくちゃならない清掃委員とか、動物が苦手なのに飼育委員とか。

「やりたいのを決めて立候補する。それだけじゃない？」

　あたしが言うと、沼田くんはまた困った顔をして、首をすくめた。

「野島さんは何でもできるから」

　そうして細い小さな声で、おなじことを言いだすのだった。


　うちに帰ると、ママが畳で昼寝をしていた。すぐそばに本が伏せて置いてあり、すこし離れたところにそうめんの器——にごった水が残っている——と蕎麦《そば》猪口《ちょこ》が置いてある。台所のラジオはつけっぱなしだ。

「ただいま」

　あたしは鞄《かばん》を置き、食器を台所に運ぶ。冷蔵庫の扉には、先月あたしが二泊三日の林間学校でいった日光から、ママあてにだした葉書きがマグネットでとめてある。ママにだしたはじめての葉書き。

日光にはバスでいった。ママはバスを「わくわくする」と言うけれど、あたしは乗り物酔いをするせいか、バスがあんまり好きじゃない。途中で休憩するドライブインの、排気ガスにみちた空気もきらい。

葉書きには滝の写真がついている。写真の滝は水が豊か。実際にあたしがみたのとは、なんだか違う滝みたい。

「おかえりなさい」

台所にやってきたママがかすれた声で言う。

「暑いわね。ちゃんと帽子をかぶってでかけた?」

冷蔵庫から麦茶をだして、ママは小さなコップに半分だけついでのむ。

「宿題ははかどった?」

美術館には宿題をしにいっていることになっているのだ。

「うん。まあまあ」

あたしが言うと、ママは、そう、とこたえて煙草《たばこ》をくわえて火をつける。ママの吐くほそいけむり。ラジオから、英語のニュースが流れている。

＊

店はきょうも暇だった。店長のあぶるきびなご、ゴルフで80をきったというお客さんの話。飲み屋も八月は休業にすればいいのにと思う。ピアノ教室のように。でも店長はきっとひっそり微笑《ほほえ》んで、店を休んでもすることがないから、と言うだろう。ああ勿論葉子さんはもっと休んでくれていいんだよ、と。

「葉子さんゴルフは？」

客に訊《き》かれ、私は首をふった。

「スポーツは全然だめなんです」

しずかな夜だ。『積木』には小さな窓があり、うすみどり色のカーテンがかかっている。店長の、別れた奥さんが縫ったものだそうだ。

「ここに来る前は茨城にいたんだって？」

日に灼《や》けて、ひたいのはげあがったその客に訊かれた。

「ええ、高萩に」

ふうん、と言って客は水割りを啜《すす》った。

「その前は？」

「川越」

高萩で勤めてたのが僕の知り合いの店でね、と、店長が口をはさんだ。ふうん、と、客はもう一度相槌《あいづち》をうつ。

「出身は？」

東京です、とこたえて、私はウーロン茶のグラスに口をつけた。しばらく放置されていたせいで水滴をつけたつめたいグラス。

「ふうん。わけありなんだ」

ええまあ、とこたえてにっこりしてみせる。わけありというのは不思議な言葉だ。なんだかとてもこみ入っているようにきこえる。私の「わけ」はすこしもこみ入ってなどいないのに。とても単純なことなのに。

でも仕方がない、と私は思う。はじめて会った日の、あのひとの目をおもいだしながら。でも仕方がない。誰にもわかるはずがないのだ。誰にもわかるはずはないけれど、あの目が私の「わけ」のすべてなのだ。

*

新学期になっても、暑さは全然弱まらない。結局、沼田くんはまたしても清掃委員になった。へらへらわらってひきうけていた。

夏休みの宿題の写生――城址公園にでかけてかいた――が、六年生の銀賞になった。ママはいつものようにあたしをぎゅうぎゅう抱きしめて、

――あなたには芸術的才能もあるのね。

と言った。

窓をうつ雨の音。ここのところ毎日雨だ。ママはさっきからずっと本を読んでいる。ママとあたしの水曜日の夜。

「お風呂《ふろ》、先に入ったら？」

本から目をあげずに、ママが言った。

「うん」

あたしは生返事をする。

小さいころ、あたしは雨の夜が嫌いだった。一人で布団《ふとん》に寝ていると、ママがもう帰ってこないのじゃないかと思って不安になった。

「ちょっとピアノを弾いてもいい？」

あたしが訊くとママはうなずいて、

「一曲だけね、もう夜だから」

とこたえた。あたしはピアノのふたをあける。

そういうとき、あたしはいつもパパのことを考えた。布団のなかで、アリーとピンクのくまを横にならべて。

いまここにパパがいればいいのに。ママの言う「天国みたいに居心地のいい腕の中」にあたしをいれてくれればいいのに。「ものすごくきれいな顔」でわらってくれればいいのに。「ママの頬骨《ほおぼね》にぴったり」の肩の下のくぼみを、あたしにもちょっと貸してくれればいいのに。

パパのことを考えていると、屋根をうつ雨の音がやさしくなった。雨の音がやさしくなって、それであたしは眠ることができた。とても小さかったころ。

「グルックね」

気がつくと、ママがピアノのそばに立っていた。グルックのガボットは、「バイエルと共に進むピアノ曲集2」に入っている。

「草子のだす音はやわらかね」

そう言って、あたしの頭に唇をつける。ふわっとママの匂いがする。

「一曲だけひいて」

あたしが言うと、ママはそばの楽譜を手にとって、

「何がいい？」

と訊いた。

「バッハ」

あたしは迷わずにこたえる。ママは短いミサ曲をひいた。短い、でもしみるように美しいミサ曲。

「バッハはいいね」

あたしは言った。

お風呂からでると、ママはまだ本を読んでいた。あたしが牛乳をのみ、歯を磨いて布団に入っても、まだ読み続けている。

「まだ寝ないの？」

布団のなかから声をかけた。

「もうすこし」

熱中しているママの横顔。あたしは桃井先生のことを考えた。ママを愛した男のひと。奇妙なことだけれど、パパについて考えるより桃井先生について考える方が簡単な気のするときがある。ママを愛し、ママと結婚して、そのママをパパに奪われたひと。もっとも、そんな言い方をするとママはおこる。私は誰に奪われたことも、誰を奪ったこともないわ、と言う。

ママはすごく色が白い。髪が短いので首がむきだしになっている。やせていて、鎖骨はシャワーをあびると水たまりができるくらいくぼんでいる。本を持つ手は大きくてごつごつしている。ピアノひきの手、と本人のいう手だ。いつもあたしの頭をぎゅうっと抱きしめる手。桃井先生の頭も、パパの頭も抱きしめたのであろうその手で、ママはいま厚ぼったい本——推理小説だ、たぶん——の頁《ページ》をめくっている。

「おやすみなさい」

あたしはママをみながら言った。

「おやすみなさい」

ママも、あたしをみて言った。

＊

十月になると、空は確実に一段高くなり、ぐんと青さと透明感を増す。フレアスカートの裾《すそ》をばさばさささばきながら、私はやみくもに歩いた。ロッド・ステュアートを聴きながら。ロッド・ステュアートは私のおまもりだ。

私はまいってしまっていた。ひさしぶりに、徹底的に不安になってしまっていた。

今朝、草子に引越しについて相談した。美しく晴れた、気持ちのいい朝だったから。

——そろそろだと思ってた。

草子はおどろいた様子もなくそう言った。

――いつ？

シリアルに卵、紅茶、という彼女のいつもの朝ごはんを食べながら。

――来年。

私は大きなマグでコーヒーをのみながら、草子の横顔をみていた。小さな鼻、やわらかそうな唇、そうしてあのひとにそっくりの額。

――春くらいにはと思ってるの。

そう言って片手で頬杖《ほおづえ》をつき、ますますまじまじと草子を観賞した。

――どこに？

来年の春、草子は中学生になる。

――さあ、まだわからない。海の近くがいいなと思ってるんだけど。草子はどこか住みたい場所がある？

べつに、とこたえた草子はひどく機嫌が悪かった。

――もっとここにいたい？

私は訊いた。

――佐倉が気に入っているの？

――べつに。

シリアルのボウルを両手で持って、身体《からだ》に牛乳を流しこむ。

——お友だちと離れるのが淋《さび》しい？

またしても、べつに、と言う。

——離れても、お友だちはお友だちでしょう？

草子はこわい顔をした。もう返事もしてくれない。

りか子ちゃんのことを考えているのだとわかった。りか子ちゃんは高萩にいるときの草子の「親友」で、佐倉に越してからもしばらく文通していたが、いつのまにか手紙がこなくなった。

——りか子ちゃんだって、
危険を冒して私は言った。

——りか子ちゃんだって、草子のお友だちであることにかわりはないと思うわ。すくなくともお友だちだったことには。

事実は消えない。私たちはだから何一つうしなわない。私は草子にただそう言いたかったのだ。

——知ってる。

草子は言った。

——でもそれは箱に入っちゃうんでしょう？

納得のいかない口ぶりだった。

──どうして箱に入れなきゃいけないの？　どうして引越しばかりなの？　ここでパパを待っていちゃいけないの？

──言ったでしょ。ママも草子も旅がらすなのよって。

自分でも、説得力のないことがわかった。どうして旅がらすなの？　草子の目がそう言っていた。もう旅はしたくない。草子の身体じゅうがそう言っていた。

──どこかに馴染《なじ》んでしまったら、もうあのひとに会えないような気がするの。

仕方なく、正直に私は言った。

──馴染まなければ、パパに会えるの？　ママは本気でそう思ってるの？

おどろいた。

──勿論《もちろん》よ。

私は言ったけれど、草子が信じていないことがわかった。

──どうして会えないと思うの？

私は煙草に火をつけた。指がふるえていた。

──わかんない。

ひどく小さな声だった。

やがて草子は我慢しきれずにしゃくりあげ、

——ごめんなさい。

と言った。

——会えないと思うなんて言ってごめんなさい。

その瞬間、私は胸がつぶれた。声をだしたら泣いてしまったと思う。煙草を灰皿におしつけて、コーヒーをのみほした。

こういうとき、あのひとならどうするだろう。ロッド・ステュアートのヴォリウムをあげ、私は心細さをうちけすように、大きな歩幅でがばりがばり歩く。

水がみたくなって、印旛沼《いんばぬま》まで足をのばした。沼に流れこむ川の水が日にきらめき、土手でおじさんが一人つりをしている。赤い風車はきょうも止まっていた。

私は秋の風のなかに立つ。

——一人でやっていけると思ってるの？

叱《しか》るともひきとめるともつかない口調で、あの朝玄関で母は言った。

——子供連れで、女一人で、ちゃんとやっていけると思ってるの？

洋裁が得意で、口が大きくて、グールドのファンだった母。父の晩酌にほぼ毎晩つきあい、でかけるときはミツコをつけた母。私が捨ててきてしまったもの。

草子を妊娠したことがわかったとき、私はすこしも迷わなかった。私の人生に与えられた三つ目の宝物だとすぐにわかった。三つ目の、そして最大の。

どうこたえればよかったのだろう。水際《みずぎわ》は風がつめたく、私はブラウスの袖《そで》をさすった。

——どうして引越しばかりなの？

——本当に会えると思っているの？

沼の水は澱《よど》んでいた。繁殖する藻、ちぎれて浮かんでいる吸殻。天気のよさなどまるで影響しないというように、水は重たく濁って微動だにしない。木製のボートが数艘《そう》うちすてられていた。半ば腐り半ば壊れて、ボートはほとんど沈みそうにみえる。

ようやく歩けるようになったころ、草子は私の足にしがみついてばかりいた。どこにいても。

片足にべったりしがみつく、小さな草子の体温と感触。

風の中で、私はそれを思いだしていた。

2001・逗子《ずし》

あたしのママがパパにはじめて会ったとき、ママは二十三歳で、パパは二十六歳だった。

でも、パパは昔ママに言ったそうだ。もし小学生のときに出会っていたら、俺はあなたに肩の傷をつくらせなかった。

中学生のときに出会っていたら、一緒に遠くに家出をした。

高校生のときに出会っていたら、俺は毎日あなたに聴いてもらうためにギターを弾いた。

もし大学生のときに出会っていたら、俺もあなたも、いま絶対ここにはいない。

でも事実はそうではなかったので、ママの肩にはけんかでつくった小さな傷があり、中学生のママはある日一人で家出をした。高校生のママは「コットンキャンディ色」の髪をして、毎日一人で踊りにいった。事実はそうではなかったので、ママはいまここにいる。

逗子は緑の多い町だ。

大きい家のならぶ広々した並木道を通るとき、「ビバリーヒルズみたい」と、ママは言う。

この町に引越して二カ月になる。あたしは先月中学生になった。

中学校は神社のすぐそばにあり、大きくて新しい体育館の一階には、ハト時計がある。

——まあおもしろい。

その話をするとママは言った。

——体操してると鳩がでてきて時間を知らせるのね。

正確にはそうでもない。ハト時計は入口を入ってすぐのロビーみたいな場所にあり、ホール自体とはぶ厚い扉で仕切られているので、授業中には見えないし音もきこえない。存在さえ忘れられている。でもあたしはそのハト時計が気に入っているし、大事なのはそのことだ。

引越しの前の日、ママと二人で「最後の晩餐《ばんさん》」をした。ダンボールだらけの部屋のなかで。二年間暮らした佐倉の庭つきのぼろアパートで。

ちょうど卒業だったので、お別れ会はされずにすんだ。でも何人かの友だちはカードをくれた。ママのピアノの生徒だったおばあさんは、どういうわけかあたしに——会ったこともないのに——ハンカチをくれた。ママにはハンドバッグをくれたそうだ。

——いい町だったわね。

「最後の晩餐」をしながらママは言った。ママの言い方はすっかり過去形で、ママの笑顔にはなんの迷いもないようだった。いつもそうなのだ。ママは迷わない。

そのすこし前にママはあたしに、嫌なら引越さなくてもいいのよ、と言った。草子がもっとここにいたいなら、もうすこしここにいましょう、と。

あたしにはわからない。「もうすこし」というのがどのくらいのことなのか、あそこにとどまっていたらどうなったのか、なぜ引越すとこたえたのか、わからない。

あたしにわかっているのは、あたしたちが旅がらすだということと、ママが「神様のボート」を信じているということだけだ。

沼田くんには姥《うば》ヶ池のそばでお別れを言った。沼田くんはおどろかなかった。すくなくとも、おどろいた顔はしなかった。

——ふうん。

と、まるで「そうなると思ってた」とでも言うみたいにそう言って、池をみていた。

——元気でね。

あたしが言うとうなずいて、

――仕方ないね、親の都合だから。

とぽつんと言った。大人みたいなずぼんをはいて。

他の子たちみたいにまた会おうとか手紙を書くとかそういうことは言わなかった。あたしも沼田くんも、もう二度と会うことがないと知っていた。

この町にきて、ママはスクーターを買った。スクーターは小さくて紺色で、ママによく似合う。ママはそれに乗って毎日仕事にいく。紺色のヘルメットをかぶり、赤い口紅をぬって、ひらひらしたスカートのままママはそれにまたがる。「とても速くてとても快適」だとママは言う。

ママとあたしは、この町でもよく散歩をする。たいていは海にいくけれど、ときどきは駅の方にでて喫茶店でケーキを食べる。

＊

逗子海岸の砂は砂場色をしている。砂場色というのは濃いグレイ。重そうな感じ。濡《ぬ》れたところは黒々としている。

低い曇り空。

ハルというのは船体のことだそうだ。ゆうべ教わった。教えてくれたのは『ハル』のマスターで、『ハル』というのは一カ月前から私の働いている店の名前だ。レストラン兼喫茶店兼バーで、ヨット好きの夫妻がやっている。

——海ではね、「遠く」のことを「ハルダウン」っていうんですよ。

マスターは言った。

——帆《マスト》だけで船体《ハル》のみえないくらい遠く、という意味です。

海岸を歩きながら、私は遠くに目をこらす。ぼんやりとけむったグレイの水平線。「ハルダウン」には何もみえない。しずかな夕方だ。

先月草子の入学式にいった。私は学校というものが苦手なのでちょっと緊張したけれど、草子はリラックスしているようにみえた。転校より気楽なのかもしれない。本人にたしかめたわけではないけれど。

私は草子の真新しい制服や、縁に青い線の入った上履きを不思議な気持ちで眺めた。私とあのひとの草子が、なんだか奇妙な恰好《かっこう》をしている。そう思った。草子を、学校からとり返したいような気持ちになった。

ばかだな。

あのひとならきっとそう言ってわらう。そう思って私は我慢した。我慢はきらいなのに。

砂地をよじのぼってガードレールをまたぎ、私は煙草《たばこ》に火をつける。車道から見下ろす海岸の風景。

五月の海に、まだ人はいない。建設中の海の家の骨組みに、大工さんが一人腰掛けて、黙々と作業をしているだけだ。

＊

学校から帰ると、ママがチョコレートケーキを焼いていた。このケーキはママの十八番で、チョコレートが濃くてとてもおいしい。草加に住んでいたころ、隣のおばあさんによく届けてあげたものだ。

「おかえりなさい」

台所で本を読んでいたママは言い、あたしの頭のてっぺんにキスをする。ラジオの音、ケーキの焼ける匂《にお》い。

「みて」

ママは本の背表紙をあたしにみせた。図書館のラベルが貼《は》ってある。

「図書館？　みつけたの？」

新しい町に越してしばらくすると、ママは図書館をみつけだす。

「どうだった？」

「駅のそばだから便利よ」

小さいけれど書庫は充実しているようだった、と、ママはこたえた。

「司書の感じもよかったわ」

あたしは制服を脱いで鴨居《かもい》にかける。手を洗ってうがいをする。

白いペンキを塗った木造二階建てのアパートは、学校から歩いて十五分の場所にある。

——やけに少女趣味ね。

不動産屋に案内されたとき、ママはそんなことを言った。

「図書館の帰りに海によったの。風もなくておだやかだった」

ママは海が好きだ。泳げないのに。あたしはすこし泳げるけれど、海はあんまり好きじゃない。

何日か前、おなじクラスの女の子に、ママに似ていると言われた。入学式の日にママをみたのだという。「そっくりだった」とその子は言った。あたしは妙な気分だった。自分では、全然似ていないと思ってるから。

ママの意見では、あたしはママの従姉《いとこ》の「美保子ちゃん」に似ているそうだ。「しっかりしているところ」も、「顔つきのきりっとしているところ」も。

あたしが生まれたとき、美保子ちゃんはおいわいにリュックサックをくれたのだそうだ。ベビー服やパイル地のお人形なんかじゃなく、おむつや哺乳《ほにゅう》びんを入れるためのリュックというところが、「現実主義者で気の利《き》く美保子ちゃんらしい」とママは言う。

夜ごはんのあと、あたしたちはチョコレートケーキを食べて、コーヒーをのんだ。コーヒーはエスプレッソで、あたしがそこに牛乳を入れるとママは可笑《おか》しがる。エスプレッソに牛乳は可笑しいのだそうだ。ママはそれを桃井先生に教わった。でもあたしは気にしない。人の言うことを気にするなんて下らない、ということを、あたしはママに教わったから。

「授業はおもしろい?」

ママが訊《き》いた。あたしは、うん、とだけこたえる。よかった、と、ママは言う。

*

朝は苦手だ。とくにこういう天気のいい朝は。台所で、草子がビニール袋をがさがさやっている音がする。ゴミを出すのは草子の役なのだ。

私は枕元《まくらもと》の煙草に手をのばし、ゆっくりと一本吸ったあと、自分の身体《からだ》を無理矢理布《ふ》団《とん》からはがしてシャワーをあびる。

ピアノ教えます、という看板が効いて、私にはいま三人の生徒がいる。一人が五歳の子供で、二人は主婦だ。この土地では教室というのは流行《はや》らないらしく、三人とも出張して教えている（スクーターを買った理由の一つがそれだ）。

草子を見送ったあと、私はざっと掃除をし、手早く仕度をして、ゆっくり指馴《ゆびな》らしをして仕事にでかける。

――ピアノを教えようと思うの。

そう言ったとき、桃井先生はほんの一瞬だけ黙った。それから、

――いいと思うよ。

と、言ってくれたのだった。

――きみならきっと上手《うま》くやるだろうね。弾くことと教えることは別だとはいえ、きみよりずっと下手くそな卒業生が平気で弟子をとっているわけだから。

――意地悪ね。

あのとき私は言ったけれど、そのとおりだと知っていた。

いま思えば皮肉なことだったかもしれない。先生の元を去ろうとする女が、先生に教わったピアノで生計をたてようというのは。

先生のピアノは正確だった。正確で抑制されていて、かえって官能的だった。

初夏。私はヘルメットをかぶり、ドアに鍵《かぎ》をかけてアパートをあとにする。

引越すので店を辞めさせてほしい、と言ったとき、『積木』の店長はあやふやな顔をした。あやふやというのは、おどろきと困惑のまざったような顔。

――せっかくよくしていただいたのに、ごめんなさい。

私は謝った。

――いつ？

そう訊いた店長はますます困った表情で、私は、正直なひとだなと思った。

――まだ先です。草子の卒業式までは。

私はこたえ、にっこりしてみせた。にっこりするのが大切だと知っていた。もうすっかり心の決まったことだというしるし。

一月だった。お客の少い日の閉店直後で、私たちはカウンターにスツールを上げていた。

――痛いな、葉子さんのような働き者がいなくなると。

――またすぐ新しいひとがみつかりますよ。

私は自信を持ってうけあった。店長は返事をしなかった。ややあって、

――しばらく募集はしないんじゃないかな。

と、他人事みたいな言い方をした。

——一人でやれない規模の店じゃないしね。

小きざみに目をしばたたく線の細い横顔、トレードマークの黒いポロシャツ。

——どっちの方に引越すの？

口調をあかるくして店長が訊き、私はほっとしながら、

——神奈川の方に。

とこたえた。店長はにこやかに、そう、とだけ言った。

くちコミというのは威力のあるものだ。

午前中のレッスンを一つ終え、私はいま約束の店にすわっている。四人の女性に囲まれて。

南仏料理という看板をだした店は、温かな黄色い壁と木製のテーブルが印象的な内装で、二千円でヴォリウムのあるランチが食べられる。

もっとも、私はなんだか緊張してしまって、どのお皿もほとんど残してしまった。

「先生召し上がらないんですね」

私の三人の生徒のうちの一人、三十代半ばであろうと思われる人妻がそう言ったほどだ。このひとはいつも手入れのいきとどいた髪をして、袖《そで》のふくらんだブラウスを着ている。

女たちはよく喋《しゃべ》る。その合間によく食べる。香水の匂い。ワインのグラスにつく口紅の跡。

私はぼーっとして、煙草ばかりすってしまう。間違った場所にすわっているような気がする。昔からそうだ。たとえば大学生のころ、高校生のころ、あるいはもっと遡《さかのぼ》って小学生のころ、私はいつもこんな気分だった。

三人ともピアノを習いたいのだそうだ。三人のうち二人は、子供の時分にピアノを習っていたことがある。三人とも結婚していて、そのうち二人は小さい子供がいるが、

「野島先生は出張して下さるから大丈夫」

と、ふくらんだ袖の人妻が言う。

「私、いつかエリック・サティを弾きたいな」

中学を卒業するまでピアノを習っていたという、眼鏡をかけた女のひとが言う。

私は煙草がなくなってしまって、そわそわしながらエスプレッソを啜《すす》る。

「三人？」

草子は目をまるくした。

「いっぺんに三人も生徒がふえたの？」

日曜日の朝の散歩は、逗子に越してから習慣になった。住宅地のなかを、三十分くら

いかけて歩く。

「じゃあお金がふえるね」

と、草子は言った。

百合《ゆり》の咲く家は草子の気に入りで、私たちは散歩のたびにたいていその家の前を通る。小さくてふるい日本家屋で、玄関のわきに百合の茂みがある。大輪の白百合だが茎と葉の勢いがよすぎて、まるで雑草のようにみえる。

「すこしだけね」

実際、ピアノ教師などというのは全然お金にならない仕事だ。

「――ちゃんがね」

草子が言った。

「――ちゃんがママのことをきれいなひとだねって言ってた。それからあたしとママを似ているって」

誰の話をしているのかわからなかったが、私はとりあえず、そう、とこたえる。草子の言い方から考えて、その友だちの話を私はもう何度かされているのだろうと思ったから。

「どっちにいく？」

三叉路《さんさろ》に立って草子が訊いた。

「こっちにいくとアンディがいるよ。こっちだとパンが買えるけど」

「もう一つの方」

私は中学校に続く道を指さした。わかった、と言って草子は歩く。

アンディというのは犬の名前だ。藤棚のあるガレージに、いつも鎖でつながれている。あの犬の名前がアンディだということを、一体どうやって草子が知るのか私にはわからない。

＊

散歩から帰ると、あたしたちは一緒に朝ごはんを食べた。それからママはお店にでる。『ハル』は昼間もやっているので、ママは週末、昼間からいない。
ママのスケジュールはこんなふうだ。
月曜日　『ハル』の定休日。午前中にピアノのレッスン一つ。
火曜日　夕方から『ハル』。
水曜日　午前中にレッスン二つ。夕方から『ハル』。
木曜日　夕方から『ハル』。
金曜日　夕方から『ハル』。

土曜日　昼間から『ハル』。

日曜日　朝あたしと散歩。昼間から『ハル』。

今度生徒が三人ふえるという。木曜日と金曜日の午前中にいれるつもりなのだろう。仕事は大切よ、と、ママは言う。煙草とコーヒーとチョコレートがママの栄養源で、仕事がママの安定剤、パパがママの支えで生きる理由で、あたしがママの喜びで宝物なのだ、と。

そのママはきょう、あたしの好きな水玉のスカートをはいている。白い水玉のついた紺のスカート。白いブラウスに赤い口紅。娘のあたしが言うのも変だけれど、仕事にいくときのママはきれいだ。『積木』の店長みたいなのを連れてこなければいいんだけど。

「なあに？」

鏡の中からあたしをみてママが訊く。

「なんでもない」

壁によりかかったままあたしはこたえる。あたしは仕度をするママをみているのが好きだ。

晩ごはんは毎日『ハル』で食べる。もっとも、あたしが食べるのはレストランのメニューにあるものじゃなく、ママが特別につくるもの。ママはあたしの食事にうるさくて、給食の献立表も毎月厳しくチェックする。

いずれにしても、この町での新しい生活に——生活にも、と言うべきなのだけれど——、いまのところママは満足しているみたいだ。ママは新しいものを拒まない。

「じゃあいってくるわね」

にっこりして言う。

「いってらっしゃい」

あたしもにっこりして言った。壁によりかかったまま。

「ピークははずしていらっしゃいね、日曜日はこむから」

玄関で靴をはきながらママは言う。足元はみえないけれど、バックストラップのついた華奢《きゃしゃ》なサンダルだとあたしにはわかる。あのスカートに、ママはいつもそれを合わせるのだ。

「わかってる」

じゃあね、ともう一度言い、ママはふりむいてあたしをみる。

「いってらっしゃい」

もう一度言ってあげると、ようやく決心をつけてドアをあける。ドアがあき、ドアがしまる。

日曜日。白いペンキを塗られた「少女趣味」なアパートに、あたしは一人でとり残される。

ショートカット

夏は『ハル』のかきいれどきだ。週末ごとにヨットに乗りにくる常連さんのほかに、水と日ざしをたのしみにくるカップルや、夏休みの家族づれ、若くて勢いのいい学生旅行者なんかでにぎわっている。

店にはピアノが一台あるけれど、私は弾かない。ごくたまに、夜、親しい客だけがいて、興がのったときにマスターの妻が弾く。マスターの妻は佐知子さんといい、いつもチェックのシャツを着ている。

——ね、葉子さん何か弾いて？

何度かそう言われたが、そのたびに断った。プロはお金をもらえない場所で弾いてはいけない。昔、桃井先生にそう言われたからだ。マスター夫妻は感じのいい人たちで、いろいろとお世話になっているのに、ピアノ一つ弾かないなんて頑固な女だときっとみんな思っているだろう。

「草子ちゃん、何読んでるの？」

十時をすぎ、客がいなくなったところで佐知子さんが訊いた。店で夜ごはんをすませてからずっと、草子は一人で本を読んでいた。

「いろいろな人たち」

草子は本のタイトルをこたえる。中学に入って背もぐっとのび、草子はもういっぱしの少女のようだ。先週髪を短く切ったので、すらりとした首がむきだしになっている。

——美人になるな。

草子が生まれたとき、桃井先生は言った。あのとき草子はまだただのちっぽけな赤ん坊だったのに。

——そんなこと、わからないじゃない。

私が言うと、先生は真顔で、

——美人はつくられるんだよ。

と言ったのだった。

——女の子は美人に育つんじゃなく、美人に育てられるんだ。

冬で、私たちは紅茶をのんでいた。狭いけれど何もかも先生の好みどおりにしつらえられた、居心地のいいあのうちの書斎で。

あのとき私はじきでていくことに決めていて、先生もそれを知っていた。私たちは何度も話しあい、話しあうことはもう一つも残っていなかった。先生はあのとき私をひきとめようとしたのだと思う。

――ここにいれば草子はきっと美人になる。

そんなことを言った。

――すくなくとも、僕は草子に不自由はさせないよ。

とも。

不自由。私はときどきそれについて考える。子供のころから自由ばかり求めていた。自由を求めるというより、それは私にとって食事や睡眠のように必要なものだった。自由を求めてけんかをした。自由を求めて家出をした。でも、自由と不自由はよく似ていて、ときどき私には区別がつかなくなる。

草子はいま、不自由だろうか。

「ライムのシャーベットがあるんだけど、帰る前に食べてく？」

佐知子さんに訊かれ、私は首を横にふった。

「草子ちゃんは？」

草子が私の顔をみたので、私は、どうぞ、というしるしに片手をだした。

「いただきます」

と、草子はこたえる。

『ハル』はバーでもあるのだけれど、夜が早い。遅くとも十一時には店を閉めてしまう。海のそばの人々は早寝らしい。

＊

美術の先生はいつもジーパンをはいている。大きくてかたちのいい手をしていて、もの静かな話し方をする。あたしは、パパの手はきっとこんな風かなと思う。どうしてだかわからないけれど。

ライムシャーベットを食べながら、あたしはママがグラスを洗うのを眺める。カウンターの向うで、マスターや佐知子さんと冗談を言いあいながらグラスを洗っているママを。

あたしのママはかわっている。大学をでてすぐに結婚したけれど、あたしのパパと出会って、「骨ごと溶けるような恋」をして、あたしを産んだ。

パパとママは、「単純に最高の組み合わせ」だったのだとママは言う。

夏休み。あたしはママの仕事がおわるのを待って、スクーターに二人乗りをして帰る。海ぞいの道を走るのは気持ちがいい。ママの背中にしがみついて。潮の匂《にお》いがする。ヘルメットが邪魔で、ママの言う「満天の星」はよくみえないけれど。

ときどき寄り道をして、夜の海岸を散歩する。波の音、対岸のあかり、打ち上げられた赤むらさきの海草。夜の海を歩くとき、ママはきまってはだしになりたがる。

——あぶないよ。

あたしが言うと、困ったように肩をすくめる。

——知ってるわ。あなたのパパにもそう言われた。

今度はあたしが首をすくめる。でもママは目がいいせいか、はだしで歩いてもいまのところ、とがったものを踏んで怪我《けが》をしたりしたことはない。

プールがあるので、あたしは夏休みになっても週に二日は学校にいっている。プールは渡り廊下の奥にあり、すぐ横の山から木がたくさんせりだしているので、プールサイドの半分は木陰になる。すごく贅沢《ぜいたく》な感じ。

——緑したたるプールね。

と、ママは言う。ママは昼間スクーターにまたがってピアノのレッスンをつけにいっているので——生徒が六人いる！——、ときどきそばを通りかかって眺めるのだそうだ。

——水に入っているときはわからないけれど、プールサイドにいれば、どれが草子か遠目にもすぐにわかる。

と、ママは言う。

プールサイドで、あたしたちはみんな膝《ひざ》を抱えて体育座りをしている。濡《ぬ》れた体で。目の前を、クラスメイトの濡れた足がとおりすぎていく。何本も。しずくをまきちらしながら。鼻をつまみながら。ぱちんと音をたてて、おしりにくいこんだ水着を直しながら。

晴れた日、風が渡り、黒く濡れたコンクリートに、たっぷりの葉陰がちらちらと動く。

今度の学校を、あたしはけっこう気に入っている。白い小さな旧校舎も、ブルーグレイの窓枠も。

うちに帰るとお風呂《ふろ》に入り、あたしは本のつづきを読んだ。『いろいろな人たち』は、ところどころに絵の入ったエッセイ集。すごくおもしろい。

「まだ起きてるの？」

お風呂からでてきたママが言う。

「読書家ね」

自分も本ばかり読んでいるくせに、ママはそんなことを言う。それからふふふと一人わらいして、

「でも仕方ないわね。あなたはパパとママの読書中に発生したんだもの」

と言った。遠い昔、地中海のなんとかいう島のリゾートコテッジで、「十二分な必然性のもとに」あたしは発生した。厚ぼったい推理小説と、シシリアンキスというカクテルと、ためいきのでるような熱い唇の果てに。

「新学期になったらね」

布団《ふとん》に入りながらあたしは言った。あたしたちは布団を二枚ならべて眠る。

「新学期になったら美術部に入ろうと思うの」

ママはあたしの顔をみて、

「いいじゃない？」

と言ってにっこりした。

「あなたは昔から絵が好きだったし」

お風呂あがりのママはバニラの匂いだ。二人ならんで仰向けになり、天井をにらみながら話す。

「いいと思うわ、とっても」

しずかな夜。冷蔵庫のうなる音がきこえる。

＊

逗子に越してよかったと思うことは海の近いことと野菜の新鮮なことだ。駅のそばに農協の直売所があって、すばらしく新鮮な野菜が手に入る。とげとげで、緑の冴《さ》えた水栽培の胡瓜《きゅうり》、葉っぱのいっぱいついたにんじん。茄子《なす》もトマトもまるまるしてつやつやだ。

魚も豊富で値段が安い。きょうは、とてもきれいなピンクのいとよりを買った。

ときどきあのひとのことを考える。たとえば歩道橋の上で。駅のそばに大きな踏切があり、線路が四本通っている。その上に歩道橋がかかっていて、私はよくそこで立ち止まり、下を通る人や電車を眺める。

あのひとはいまどこにいるのだろう。どこで何をしているのだろう。新しい町で楽器屋をみつけるたびにのぞいてみる。『プレイヤー』とか『ギターマガジン』、『ジャズライフ』といった雑誌を立ち読みするけれど、そこにはなんのメッセージもみつけられない。

＊

新学期になると、あたしは予定どおり美術部に入った。部活は週に二日。いまはデッサンをやっている。

クラスでいちばん仲のいい依子《よりこ》ちゃんは体操部。部活のない日、あたしたちはいつもたいてい一緒に帰る。

ママはこのごろピアノの方が忙しそうだ。春にはじめての発表会をやるとかで、何人かは週に数回レッスンをとっているから。ママ自身も、最近よくピアノを弾いている。ハノンとバッハで二時間くらい指ならしをしたあと、フォーレやシューベルトを弾く。フォーレやシューベルトはきれい。きれいな曲は、でもすこしかなしい。

——もし家出をしたくなったら、

このあいだ、ママが突然そんなことを言った。日曜日で、あたしたちはいつものように朝の散歩をしていた。

——もし家出をしたくなったら、してもいいのよ。

子供のころ、ママは何度も家出をしたらしい。

——ただ、無事だっていうことをときどきしらせて。

あたしは、わかった、とこたえた。でも、あたしはきっと家出はしない。自分でそれを知っている。あたしが「わかった」とこたえたことで、ママは安心したようだった。

十月。空気が澄んで、空が青くなる月。

「おはよう」

あたしが朝ごはんの仕度をしていると、起きてきたママが眠たそうな声で言った。煙草《たばこ》をくわえて火をつける。ねぼけまなこのまま、ママはエスプレッソメーカーをセットしてスイッチを入れる。

「あのひとの夢をみたわ」

ママが言った。ママはときどきパパの夢をみる。

「どんな？」

こたえはわかっていたけれど、あたしは訊《き》いた。ボウルに入れたシリアルにミルクをかける。

「……忘れちゃった。でもいい夢だった」

ママは、夢についておしえてくれない。きまって、忘れちゃった、と言う。ほんとうに忘れてしまうのか、憶《おぼ》えているけれど話したくないのかはわからない。どっちでもおなじことだ。ママにとって、パパの夢はいつだっていい夢なのだ。どんなのでも。

「いい天気ね」

窓の外をみてママは言う。朝のママは顔色が悪い。

あたしはママを、ちょっとうらやましいなと思う。小さいころ何度かみたけれど、それだって曖昧《あいまい》ではっきりしないやつだったし、その後あたしはパパの夢はみない。ママにはパパの記憶があるからパパの夢をみられるのだと思う。パパの夢をみれば、すくなくとも夢のなかでママはパパに会える。

エスプレッソメーカーがごほごほと音をたて、あたしは塩をふった目玉焼きを一切れ口に入れた。

*

夢のなかで、あのひとはわらっていた。信じられないくらいきれいな笑顔で。あのひとの笑顔ほどきれいな顔を、私はほかにみたことがない。

きれいな目。

夢のなかで、私はそう思った。

きれいな額の骨。

つづけて、そう思った。私たちはどこか戸外のしずかな場所にいて、あのひとの横顔に日があたっていた。

もう、いかなくちゃ。

あのひとがそう思ったことが私にわかり、私にわかったことがあのひとにわかった。あのひとの目にかなしみの影がさした。私もかなしかった。どちらも何も言わなかったけれど、これでまた会えなくなると知っていた。

「その包み、なあに？」

テーブルの向い側で朝ごはんを食べていた草子が訊いた。

「え？」

目玉焼きとシリアルと紅茶、制服を着た草子。現実の、朝の風景。

「ああ、口紅」

私は立ち上がり、コーヒーを茶碗《ちゃわん》に注ぎながらこたえた。

「八本もあるのよ。新色なんですって。生田《いくた》さんにいただいたの」

生田さんというのは私のピアノの生徒の一人で、御主人が化粧品会社につとめている。

「好きなのがあったら持っていってもいいわよ。私はあんまり使わないから」

草子は興味がなさそうに、それでも、

「うん」

と言った。

「生田さんのピアノ、白い YOUNG CHANG なのよ。御主人のお母さまのものだったらしいけど」

私はコーヒーを啜《すす》り、二本目の煙草に火をつける。

「そのピアノはずっと娘さんが弾いていて、でもその娘さんはカナダに留学中」

ふうん、と言って、草子は紅茶をのみほした。

「お金持ちなの？」

「たぶんね」

大きな家に住んでいる。玄関には油絵がかかり、ピアノの練習室は防音になっている。

「不思議だな」

草子が言った。

「ママは新しいものを拒まない。でも絶対慣れてしまわない」

私は首をかしげた。

桃井先生に、おなじようにいわれたことがある。

——きみは馴染《なじ》まないね。浮かないけれど、馴染みもしない。

先生によれば、それは悪いことではないけれど、まわりの人間を孤独にするそうだ。

「じゃあね、いってきます」

草子は立ち上がり、いまのがどういう意味なのか、私が何を拒まず何に慣れないと彼女が思っているのか、説明せずに洗面所にいってしまう。

夕方『ハル』で窓ガラスを磨いていたら、佐知子さんが来て、

「私も髪を切ろうかな」

と言った。佐知子さんは長い髪をしていて、それをいつも無造作にうしろで束ねている。

「葉子さんたち母娘《おやこ》をみていたら、私も短くしたくなっちゃった」

どうこたえていいのかわからなかったので、私はただ小さく微笑《ほほえ》んだ。

「草子ちゃんもショートカットが似合うのね。切っちゃったときはもったいないと思ったけど」

マスター夫妻には子供がいない。

「素敵ですよ、長いのも」

仕方なく、私はそんなことを言った。『ハル』の出窓には、ヨットの精巧な模型が飾ってある。ヨットの精巧な模型と、小さな南瓜《かぼちゃ》のディスプレイ。

「旅をしてるんでしょう?」

佐知子さんが言った。

「草子ちゃんが言ってた。あたしたちは旅がらすなんです、って」

窓の外は空気がうす青く、まだ色づいてはいないものの、乾いて色のあせた葉っぱが風に揺れている。

「短い髪は自由な感じがする」

そんなことを言われ、私はもう一度、ただ小さく微笑んだ。

ガラス磨きクレンザーのふたをして、ぼろきれと一緒に小さなカゴに入れ、掃除道具入れに片づけた。磨いた窓に、暮れていく空とつき始めたばかりの街灯が映る。かすかなレモンの香り。私はふいに、どうしようもなく淋《さび》しくなった。

「すぐ戻りますね」

佐知子さんにことわっておもてにでて、十分くらい散歩をする。大きな歩幅で力強く歩いた。ひんやりした空気。

これはあのひとのいない世界ではない。

歩きながら、私は考える。

あのひとと出会ったあとの世界だ。だから大丈夫。なにもかも大丈夫。

まるでBCとADみたいだけれど、そう考えるとあのひとはやっぱり私の神様なのだろう。

――俺はかならず葉子ちゃんを探しだす。

あのひとはそう言った。

煙草を一本吸って、ロッド・ステュアートをハミングした。目をつぶると、あのひとの腕に抱かれているような気がした。

スプリング　ハズ　カム

久木《ひさぎ》神社の注連縄《しめなわ》は、紅花で染めたみたいな淡いサーモンピンクだ。鳥居をくぐって石段をのぼると、奥にはすぐお稲荷《いなり》さんがあり、赤いのぼりがずらりとならんで立っている。ハーフコートのポケットに両手をいれて、私は神社をぐるりと散歩する。昼間、ここはほんとうに人がいない。

昔、あのひととともよく散歩をした。そこらじゅうを歩きまわった。二人とも歩くのが好きだったし、まるでちっとも疲れなかった。いくらでも歩けた。ずっと手をつないでいた。

桃井先生と住んでいた街は、隅から隅まであのひとと歩いてしまった。二人でいれば、どこにいてもよかった。それに、ほかにいる場所がなかった。

——歩いてばかりでごめん。

あのひとはよくそう言った。勿論《もちろん》私は首を横にふったけれど、返事をすることはできなかった。たぶん私たちは知っていたのだ。歩くのをやめたら、あとはそれぞれうちに帰るしかないのだと。

神社の石段をおりながら、私はあのひとのことを考える。二日ひげを剃《そ》らなかった三日目の顔や、歌をうたってくれるときのやさしい声や、煙草をすうときにすこしだけひそめる眉《まゆ》や、ベッドで足をからめたときの、びっくりするほどの体温の高さを。

——いつも一緒だよ。

そう言ってくれるときのまなざしの真面目《まじめ》さを。

それから草子のことを考えた。白いブラウスに紺色のチョッキ、紺色のプリーツスカートという制服を着て、毎日学校に通う草子のことを。

——ママはもうすこしリアリストになった方がいいと思うな。

そんなことを言うようになった草子のことを。人形のアリーもピンクのくまも、草子はいつのまにかどこかに片づけてしまった。

いつかあのひとに再会し、草子のことを告げたら、あのひとは何て言うだろう。

一月の風は穏やかに乾いて、平和な住宅地の匂《にお》いだ。草子の通う中学校は、この神社のすぐそばにある。

＊

学校から帰ると、ママはピアノのレッスンにでかけていた。クリスマスからこっち、『ハル』がお店を閉めているので、ママはピアノの教師に精をだしている。『ハル』は毎年冬のあいだシャッターを降ろしっぱなしで、ながい冬休み、マスター夫妻はどこかへヨットに乗りにいくらしい。今年はマントンだとママが言っていた。マスター夫妻はお金持ちだ。

——店の売上げじゃあ繫留料《けいりゅう》にもならないけどね。

いつかそう言って笑っていたけれど、他に会社をやってるし、どこかにマンションも持っている。いろんな人生があるなと思う。

ママとあたしの人生は、ママの言葉を借りれば、「パパに会えるまでずっところがっている石みたいな」人生。何年も前に、ママがそれを選んだのだ。

——ママが選んだのよ。

ママが、のところを強調して、いつだったか、ママはそう言った。あたしを膝《ひざ》にのせ、髪をなでてくれながら。

——だからもしパパと会えなくて、私たちがずっところがる石みたいでも、それはパパのせいではないの。

それはそうかもしれないけれど、でも、だったら選んだのはママで、あたしではない。

——パパは約束を破るの？

あのときあたしはまだ小さくて、不安になってそう訊《き》いた。

——約束？

ママは訊き返した。

——だって、パパはあたしたちがどこにいても、かならずみつけてくれるんでしょう？

そう約束したんでしょう？

ああ、と言って、ママはやさしく微笑《ほほえ》んだ。

——勿論パパは約束を破ったりしないわ。

それからあたしの頭のてっぺんにキスをして、ママはこう言ったのだった。

——パパの約束はね、それが口にだされた瞬間に、もうかなえられているの。

一月はあたしの好きな月だ。三学期はいろんなものにもう慣れているから。台所のカレンダーをみながら、あたしはまずラジオをつけて、牛乳をのみ、さっさと宿題をかたづけてから、あした提出する美術部の課題にとりかかった。ママのいない部屋のなかで。

課題は、画用紙を半分ずつに区切り、おなじモティーフを別の角度から描くというものだ。あたしは海辺の家をモティーフに選んだ。海辺の、水色の家。いつも散歩する場所から遠くにみえる。ママはレストランだと言っていた。夕方、あかりがついたところは外国の物語にでてくるおやしきみたいで、あたしはあの家がすごく気に入っている。

きのうスケッチをおえていたので、きょうは色をつけた。あたしは絵をかくのが好きだけれど、水彩絵具の、鼻がくすぐったくなる匂いはちょっと苦手。苦手な匂いはけっこうたくさんある。バスや電車の匂い。美容院の匂い。給食室の匂い。体育倉庫の匂い。干上がった魚や海草の匂い。

——あなたは匂いを気にしすぎるわ。

ママはそう言う。

——そりゃあ物にはいろんな匂いがあるけれど、どの匂いもそれぞれ独創的で、おもしろいとママは思うわ。

ママは、物事をいい風にしか解釈しない。

ちなみに、ママにいわせると、パパの肌はおひさまの光の匂いなのだそうだ。日によって、そこにちょっとジンの匂いや、毛布の匂いや菩提樹《ぼだいじゅ》の葉っぱの匂いや、塩の匂いがまざるらしい。一体どんな匂いなのか見当もつかない。

パパの匂いのことは、つい先月教わった。パパの四十三歳の誕生日。ママとあたしはいつものように、ハッピーバースデイを歌ってケーキを食べて、オートシャッターで写真をとって、パパの話をしたのだった。

――髪は秋の匂いがしたわ。

――秋の匂い？

あたしのママはロマンティストだ。

今年のケーキはナタの女王様だった。ナタの女王様って何のことだかわからないけれど、昔からママの得意なケーキの一つだ。玉子色のぼそっとしたスポンジに、生クリームをいっぱいかけたやつ。

――パパはいま、誰とお誕生日をすごしているのかな。

あたしが言うと、ママはすこし考えて、淋《さび》しそうに微笑んでから、さあ、とこたえた。

ナタの女王様を食べたあと、ママは何曲かピアノを弾いた。あたしの知っている曲も知らない曲もあった。パパの誕生日の夜、ママは一人で、随分ながいことピアノを弾いていた。

＊

仕事のあと、夕食の材料を買ってうちに帰った。ひときわ寒い夕方で、うす青い空に早々と星がでていた。草子は絵をかいていた。

ただいま、とこたえて、私は娘を背中から軽く抱きしめる。

「おかえりなさい」

「たのしい一日だった？」

「やめて。水がこぼれるよ」

草子は絵筆を持ったまま言って、それでも律義《りちぎ》に、

「うん、たのしかった。リーダーとグラマーが両方あったし」

と、こたえた。草子は英語が好きらしい。

「スプリング、ハズ、カム」

私は、昔習った英文を口にした。でも、草子には何のことだかわからなかったようで、ちょっと首をすくめただけだった。

夕食のあと、たらいにはったお湯に足をつけて読書をした。一匹狼《おおかみ》の探偵がでてくるミステリー小説。部屋のなかはあたたかく、ガスストーヴの匂いがする。

冬は、生き物がみな眠る季節だ。

桃井先生はそう言っていた。先生は寒がりで、冬の始まりにはきまって風邪をひくくせに、夏よりも冬が好きなのだった。冬は知恵と文明が要求される季節だからだと言っていた。

私は、季節などどうでもいいと思っていた。どっちみち去っていくし、どっちみちま

ためぐってくる。外側が勝手に変化していく。それだけのものだと思っていた。あのひとに会うまでは。

煙草をくわえて火をつける。しずかな夜だ。となりの部屋で、草子はもう眠っている。

＊

春がきて、あたしは無事二年生になった。ママの生徒たちのピアノの発表会——小さなホールを借りてひらいた——は随分と好評で、生徒がまた一人ふえた。春休みに、ママと温泉にいった。教室で育てているクロッカスが咲いた。『ハル』のマスター夫妻は日に灼《や》けて帰国し、半月前からまたお店をあけている。

でもあたしはちょっと憂鬱《ゆううつ》だ。逗子に来てまだ一年なのに、ママがまた引越しを考えているみたいだから。どうしてわかったかというと、温泉にいったとき、ママが仲居さんに、求人について訊いていたからだ。勿論、それはちょっと訊いてみただけのことなのかもしれない。ママはよくそういうことをするし、それにたとえばフランスに住もうとか、香港《ホンコン》に移住するにはどういう手続きがいるのかしらとか、冗談とも思えない真面目さで口にする。そのたびにあたしはちょっとぎょっとするのだ。このひとならやりかねない、と思うから。

いずれにしても、今年か来年かさ来年かのある日、あたしはママに告げられるのだ。引越そうと思うの。草子はどう思う？　と。

そのことを考えると憂鬱になる。こんなふうに晴れた日の、放課後の美術室にいても。

美術室は、学校じゅうでいちばん好きな場所だ。部活がいちばん好きな時間。

部員は全部で三十人ちかくいるけれど、部活にちゃんとでてくるのはいつも半分くらい。欠席する人の気持ちは、あたしには全然わからない。

美術部といっても、べつにいつも絵をかいているわけじゃない。そりゃあ最初の二十分はクロッキーに決まっているけれど、でもそのあとはいろいろだ。きょうみたいに人数のすくないときは、画集をみたり、ビデオをみたりする。もっとたまには、先生がコーヒーをだしてくれることもある。自動販売機で売っているやつじゃなく、美術準備室でいれる、新鮮なコーヒー。あたしは缶コーヒーは絶対のまないことにしている。「殺人的な量の砂糖」が入っているから。

「ボナールだね」

あたしの眺めていた頁《ページ》をみて、先生が言った。先生の声はしずかでやさしい。

「レッドプロフィール」

あたしは絵のタイトルを読み上げた。すごくきれいな絵だった。そこに描かれた女の人は、ママに似ていると思った。

もっとずっと小さいころは、あたしは引越しが好きだった。ママと一緒なら、新しい場所がたのしみだった。

でも、小さいころに好きだったからといって、ずっと好きでいなくちゃならないわけではないと思う。

「そろそろおしまいにしようか」

先生が言い、あたしたちは画集や写真集をかたづける。きょうの先生は、ベージュのシャツにモスグリーンのジャケットを着ている。

＊

春になると、ハーバーからでていく船の量がたちまちふえる。昼間、店の窓から海をみていると、いろいろなことがわかる。海の色は季節ではなくお天気に左右されるのだということ、船体に書かれた船の名前は、片側はちゃんと左から右に書いてあるのに、反対側は右から左に書いてあるということ、若い人たちのあいだでは、またフリスビーが流行《はや》っているらしいこと。

この街の春は、水の匂いがする。

「葉子さん」

常連客の若月さんは、老舗《しにせ》の和菓子屋の三代目だ。

「はい？」

「エスプレッソ、もう一杯下さい」

よくランチを食べにくる。お昼ごはんのあいだだけでも、海をみたいのだそうだ。

「あ、ここも」

別のテーブルで河野《こうの》さんが言った。河野さんは市場につとめている。

「はい」

私はにっこりしてこたえ、灰皿をとりかえる。


春休みに、草子と箱根の温泉にいった。山と山のあいだを走る、小さなかわいい電車に乗った。温泉はたのしかった。部屋で二人でゆっくりごはんを食べた。あんなことは初めてだった。二人とも頬がつるつるになるまでお風呂《ふろ》に入り、浴衣《ゆかた》を着て、私はすこし日本酒をのんだ。草子も小さな猪口《ちょこ》で、一口だけ舐《な》めた。舐めるやいなや顔をしかめて、

——お酒くさい。

と言った。私は笑って、

——つまらない感想ね。

とこたえた。あのひとと私の娘なのだから、草子がお酒をのめないはずはない。屋根つきの小さな露天風呂に、夜中、もう一度入った。星がみえた。裸の草子のうしろ姿は、足が長くてくったくなく直線的だった。私とあのひとの草子。

若月さんも河野さんも、仕事があるので長居はしない。観光客も、観光があるので長居はしない。平日の昼間の『パル』は、お客の回転がいい。

午後の暇な時間に、私は店のまわりの雑草とりをした。雑草とりは好きな仕事だ。店の裏手には、いま、黄色いバラが咲いている。

夕方、草子がやってきた。

「こんにちは」

草子は毎日そう言って、裏の扉から入ってくる。隅のテーブルで本を読んだり、宿題をしたりしている。

草子用のきょうの夕食は、鮭《さけ》に温野菜にごはん。草子は私のだすものを、いつもきちんと残さず食べる。

「きょうは？　どんな一日だった？」

グレーと白のしまのTシャツにジーンズ、グレーの運動靴、という恰好《かっこう》の草子は、足をのばして椅子《いす》にすわり、

「うん。まあまあ」

とこたえる。

「ママは？」

草子がお返しに訊き、私も、まあまあ、とこたえた。私と草子の、定形の挨拶《あいさつ》。

「部活は？」

「クロッキーと蠟《ろう》彫刻」

「先生は元気だった？」

「うん。たぶん」

草子は美術の先生が気に入っているらしい。草子によれば、その先生は「デリカシーがある」のだそうだ。「デリカシーのある学校の先生なんて、ほとんど言語矛盾なんだけど」と、草子は言う。

それにしても私は複雑な気持ちになる。母娘《おやこ》揃《そろ》って「先生」にイカレるなんて。

食事のあと、草子は最後まで残ってスクーターのうしろに乗って帰る日と、バスに乗って先に帰る日とある。きょうは先に帰ると言った。

「気をつけてね」

カウンターの中から声をかけると、草子は、はい、とこたえたあとで、

「きょうちょっと話があるの。起きて待ってるから早く帰ってきてね」

と言った。

「話？ どんな？」

草子は首をふり、帰ったらね、と言う。私はにわかに不安になった。

「葉子さん、ビール」

お客に呼ばれ、私は仕方なく草子に片手をふって、わかったからいきなさいと合図した。

＊

小さい子供だったころ、こうして誰もいない家の鍵《かぎ》をあけるとき、あたしはいつも想像したものだ。ドアの中にお化けや虫や妖怪《ようかい》や、悪いものがじっと潜《ひそ》んでいて、ドアをあけるとそれがみんなとびだしてくる、と。でも、怖いのは一瞬だけだ。想像のなかで、そういう悪いものたちは乱暴なことはなにもしない。彼らはただ外にでていくのだ。だからあたしはみんなを外にだしてやり、それから家の中に入る。そして、そこで、逃げ遅れたおみその悪いものと出会うのだ。

想像では、そのおみそはむらさき色をしている。小さな人形のような感じ。顔は青ざめて邪悪だけれど、まだちびだから怯《おび》えている。あたしたちはやがて友だちになる。

いまはもうそういう想像はしない。鍵をあけてドアをあけ、中に入るだけだ。玄関には、写真と天使の置き物が飾ってある。


ママは早く帰ってきた。お客さんにもらったというチョコレートを持って。

「先にシャワーをあびてきてもいい？」

オーバーや衿巻《えりまき》をとりながら言う。あたしは、いいよ、とこたえた。

「すぐ戻るわ。それからチョコレートはあしたにしなさいね」

仕事から帰ったときのママはなんとなくりりしい。外の世界の匂いがする。

「わかってる」

あたしは言い、ママの抱擁——ただいまというしるし——を受けてから、読書のつづきに戻った。

深夜、コーヒーをのみながら、あたしたちは台所のテーブルに向かいあってすわった。お風呂あがりのママは、顔がすこしてかてかしている。乾燥するので、たっぷりクリームをつけることが冬のあいだに習慣になった。

「それで？　話っていうのはなに？」

ママは訊き、コーヒーを一口啜《すす》った。

「引越しのこと」

あたしはこたえる。

「引越し？」

「そう。中学を卒業するまで、引越しはしたくないの」

ママは表情を変えなかった。あたしをじっとみて、それからちょっと肩をすくめ、

「いいわ」

と言った。すごくあっさりと。

「話ってそれだけ？」

「うん」

あたしはなんだか拍子抜けして、

「だって、せっかくここに慣れたから」

と、訊かれもしないのに理由を言った。

「慣れることが大切なの？」

ママは訊き、煙草に火をつける。

「あたしにはね」

たぶん、ママは慣れる必要がないのだろう。

「安心していたいの」

あたしは説明しようとした。引越しそのものじゃなく、いつ引越すかわからなくて、

いつまでたっても安心して日常に慣れられないことが嫌なのだと。いつも怯えているのが嫌なのだと。おみその悪ものみたいに。

「ママにはわからないかもしれないけど、あたしは慣れた場所で暮らしたいの。慣れた場所で、慣れた人たちのなかで」

ママは何も言わなかった。あたしたちは、しばらく黙ってコーヒーを啜った。

「もう寝るね」

なんとなくかなしくなって、あたしは言った。立ち上がって、コーヒーカップを流しに運ぶ。

「草子」

「なに？」

蛇口をひねってカップを洗う。

「申し訳ないと思ってるわ」

しずかな声で、ママは言った。

「慣れた場所で、慣れた人たちのなかで暮らせたらほんとうにいいと思うわ」

「だったら——」

あたしが言いかけたのをさえぎるように、

「無理よ」

と、ママは言った。

「だって私はあのひとに慣れちゃったんだもの。他のものにはなじめないわ」

「なじもうとしないだけでしょう？」

ちがうわ、と、ママは言った。あたしの目をまっすぐにみて、落ち着いた口調で、

「ちがうわ」

と。

もしかするとそうなのかもしれない。ママは、ほんとうにパパ以外のものになじめないのかもしれない。あたしはそう思った。

「とにかく」

すっかりかなしくなりながら、あたしは言った。

「とにかく、まだ引越しはしたくないの」

ママの顔をみることはできなかった。

わかったわ、と言われることが、こんなに淋《さび》しいとは思わなかった。

国道

あたしのママとパパが海のそばに住んでいたころ、二人は大きな犬を飼っていた。寝室の窓からすぐ海がみえたの、と、ママは言う。そこでは二人ともすごく早起きで、犬をつれて朝の海に散歩にいった。はだしで砂浜を歩くとき、折り返したずぼんの裾《すそ》からのぞくパパのくるぶしに、ママはいつでも見惚《みと》れてしまったそうだ。

家に帰ってごはんを食べて、午前中は二人とも読書をしてすごした。

夏はもちろんたくさん泳いだ。ママは一人じゃ泳げないけれど、パパの背中につかまっていれば「いくらでも泳げた」らしい。それを「泳ぐ」と呼ぶのかどうか知らないけれど。

パパと一緒なら、どんな波も怖くなかった、と、ママは言う。どんなに深いところも平気だった、と。

あたしのママとパパが海のそばに住んでいたころ。あたしが小さいころからきかされて育った、ママの物語。

逗子ですごす二度目の夏。

今朝ママと散歩にいった。日曜日の朝の散歩。海岸で潮風をすってから、住宅地を通って帰ってきた。散歩のとき、ママはやたらとそのへんに腰をおろすので、丈の長いフレアスカートの、裾やおしりが汚れてしまう。

郵便局の前で八百屋のおばさんに会った。ママがいつも買う八百屋のおばさんなのに、ママは誰だかわからなかったらしい。

——おはようございます。暑いですねえ。

にこやかに挨拶《あいさつ》をしたくせに、すれちがってから、誰、と訊《き》いた。あたしのママは、人の顔をおぼえない。土地や他人に馴染《なじ》まない。

——よくそれで接客ができるね。

あたしが言うと、ママは首をすくめ、

——仕事は別よ。

と言うのだけれど。

おととい、学校の帰りに依子《よりこ》ちゃんと逗子駅にいった。よく晴れていて、暑い日だった。あたしたちはマックでおやつを食べてから(これはママには内緒。ファストフードは禁止されているのだ)、本屋で雑誌を立ち読みした。

——草子、お父さんにときどきは会ってるの？

依子ちゃんに突然そんなことを訊かれた。説明するのが大変なので、あたしは学校で、両親が離婚したことにしてある。

——会ってない。

『an・an』を置いてあたしは言った。『はいせんす絵本』を手にとって、ぱらぱらめくる。

——全然？

——うん。全然。

そこはほんとうなので、気楽な気持ちでこたえた。

——養育費とかは？

あたしは、よくわからない、と、こたえた。

逗子駅前はあかるくてにぎやかで、地面のコンクリに埋められた黒いモザイクが、日ざしを反射して光っていた。

日曜日。あたしは午後じゅう絵をかいている。ママのいない、白い少女趣味なアパートで。台所には、ママの用意したお昼ごはん——でもあたしはまだ食べていない——があり、ラジオからは下らないおしゃべりと、歌謡曲が流れている。ママは冷房が嫌いなのでめったにつけないが、このアパートには天井にエアコンがついているので、ママのいない昼間、あたしは冷房をつけっぱなしにしている。

＊

夏は特別な季節だ。

細胞の一つ一つが抱えている記憶。その一つ一つがふいに立ち上がり、風に揺れる草みたいに不穏に波立ってしまう季節。

日曜日。昼のお客が一段落し、カウンターを拭《ふ》きながら私は思う。窓の外は陽炎《かげろう》が立っている。

「野球の切符を二枚もらったんだけど、葉子さんいく？」

マスターに訊かれ、私は首を横にふった。

「佐知子さんといらしたらどうですか？」

野球なんていやよ、つまらない。鉢植えに水をやっていた佐知子さんが、かわりにこたえた。

「夏は働くの」

マスターは苦笑する。

来月草子は林間学校にいくという。「奉仕活動」や「座禅」の時間のある、合宿のようなものだと言っていた。それぞれの夏。

あのひとと出会ったのも夏だった。あのひとがいなくなってしまったのも、また。二年間。信じられない気持ちで私は考える。あのことのすべてがその二年間に起きたのだ。私の人生を変えてしまうことになる出来事のすべて、草子の人生が始まってしまうことになる出来事のすべてが。

私の細胞の一つ一つは、すべてあの二年間にできたのだ。

「葉子さん、コーヒーのまない？」

はい、とこたえて戸棚をあけた。あ、僕も、とマスターが言い、私はカップを三つならべる。

＊

きょうは終業式だった。期末試験の成績はよかった。午後『ハル』に顔をだしてから、一人で国道ぞいを歩いた。この道は比較的交通量がすくなくて、ママともよく散歩をする。道の両側から草がはみだしてのびていて、それをちぎりながら歩く。歩道つきのトンネルは、ママとあたしが「暗い森」と呼んでいるもので、怖がりのママは歩きたがらない。でもあたしは平気だ。トンネルは短いので、こちら側に立つと、むこう側があかるいドーム型に、闇《やみ》のむこうにくっきりとひらけているのがみえる。埃《ほこり》っぽい道。あしたから夏休みだ。

夜、ママとコーヒーをのんでちょっと話した。なにを話したかというと、美術の先生のこと。

「言葉には注意しなさいね」

とれてしまった制服のブラウスのボタンをつけてくれながら、ママは言った。

「先生っていうものは、だいたい言葉の使い方が上手なんだから」

言葉は危険なのだとママは言う。言葉で心に触られたと感じたら、心の、それまで誰にも触られたことのない場所に触られたと感じてしまったら、それはもう「アウト」なのだそうだ。あたしにはよくわからない。ただ、先生の言葉はとてもわかりやすくあたしの心に届くと思う。すごくいい声だし。あたしの美術の成績は、今学期も5だった。もちろん。

「はい、できあがり」

ママに返してもらったブラウスを、洗濯物入れに入れる。

「桃井先生も言葉が上手だったの？」

あたしが訊くと、ママは、そりゃあもう、とこたえた。

「先生の言葉は雨みたいにママの心にしみたものよ」

雨みたいに。

「孤独だったから」

と、ママはつけたした。にっこりわらって。桃井先生の話をするとき、ママはやさしい顔になる。やさしい、なつかしそうな顔。

「パパの言葉は?」

あたしは訊いてみた。意外なことを訊かれたとでもいうように、ママは眉毛《まゆげ》を持ち上げる。それからすこし考えて、

「私たちに言葉なんか必要なかった」

と言った。ゆっくりした動作で煙草《たばこ》に火をつけて、

「言葉なんてまるで役に立たなかった」

とも。じっと壁をみていた。ママはそこにいたけれど、そこにいないみたいだった。パパの話をするとき、ママはときどきそんなふうになる。「姉妹みたい」だとみんなのいう、あたしのママ。

「ふうん」

あたしたちはそれから順番にお風呂《ふろ》に入り、うすピンクのまるいボトルに入ったママのボディローションを二人でつけて、おやすみなさいと言いあって眠った。

＊

八月はあわただしく過ぎた。『ハル』やピアノや、草子の林間学校や水泳教室や。アパートの網戸がはずれ、直せなくて修理屋さんを呼んだ。

――こういうときに男手があるといいのにね。

草子が生意気な口調でそんなことを言うので、私は笑ってしまった。それからほんとうのことを教えてやった。

――男の人がみんな網戸を直せるとは限らないのよ。

桃井先生はそういうことが苦手だった。かたい瓶のふたも、重い荷物も、ダンボール箱をつぶすのも。

――男の人に頼るような考え方はやめなさい。

私が言うと、草子は不機嫌な顔をした。

――ママに言われたくないよ。

ほんとうにその通りだと思ったので、私はまた笑ってしまった。ほんとうにその通りだ。

日々はよどみなく流れ、私はあいかわらずあのひとを待って暮らしている。

──戻ってくる。

あのひとは言った。

──信じてほしい。一瞬でも疑わないで。俺はかならず葉子ちゃんを探しだす。どこにいても。すこしのあいだ離れなくちゃならないけど、どこにいても一緒だし、かならず戻ってくる。すぐに。すぐに。

九月だった。あのひとの店のそばにあった公園は緑の匂《にお》いが濃く、蒸し暑い夕方だった。

あれから、もう随分時間がたった。

秋になると、草子の静物画が、市の美術展で銀賞になった。

──未来の画家ね。

私が言うと、でも草子はあっさりそれを否定した。将来は、同時通訳か獣医になりたいのだそうだ。

＊

「またそれをみてるの？」

二時間目と三時間目のあいだの、十五分休みの美術室で、先生が言った。

「好きだね、その画集が」

あたしはうなずいた。

「きれいだから」

今度は先生がうなずく。

「百年くらい前の画家だよ。裸婦と、静物が多いね。風景はあんまり印象にないな、結構描いてるはずだけど」

きょうの先生は、茶色のオフタートルにジーパンだ。

「窓とかドアの外に、風景もちょっとかいてある」

あたしが言うと、先生はわらった。そのときチャイムが鳴ったので、あたしは仕方なく画集をとじた。

「その絵」

「……はい？」

先生は画集を手にとって、THE TABLEという題の絵の頁《ページ》をひらいた。

「この絵の女の子、ちょっと野島に似てるね」

それは、白い大きなテーブルの絵だった。奥に女の子がすわっている。あたしはすっかり嬉《うれ》しくなってしまった。

放課後、依子ちゃんとマックによって帰った。

「沢田先生？」

コーラのストローを口からはなして、あんまり興味がなさそうに依子ちゃんは言った。

「ちょっと弱々しい感じしない？」

浮かない顔つきなのは、たぶん実力テストの結果のせいだ。依子ちゃんは成績のいい方じゃない。中二の秋の実力テストは、受験や進路に影響がある。

ガラス窓の外をバスが通っていくのがみえた。ときどきみかけるへんなバスだ。鎌倉いきの、車体に絵のかいてあるバス。あのバスをみるたびに、あたしは家出について考える。なんとなくあやしいバスだから。中学生のころ、あたしのママは何度も家出をしたという。一人で。他にどうしようもなくて。

「それよりさ」

細長いポテトを一本口におしこんで、依子ちゃんが言った。

「草子のママって、再婚話とかないの？」

「ない」

あたしはこたえて、コーラをのみほした。やわらかくなった紙コップの中で、がさがさと氷が動く。

「ふうん。美人なのに。きっと男運が悪いんだね」

夜、帰ってきたママにその話をすると、ママは大げさにおどろいた顔をした。

「ママほど男運のいい女もいないのに」

わかってないわねえ、と言って、首をかしげる。そのことについて、あたしはノーコメントにした。

「はい。チョコレート」

ママは言い、本日の収穫をテーブルの上に置く。チョコレートは、ノイハウスだった。

*

私の人生最大の危機は、十一月にやってきた。草子が寮に入ると言いだしたのだ。

私が草子を失う？　まさか。

海岸をやみくもに歩きまわりながら私は考える。曇った、風のつよい日。

草子が遠くにいってしまう？　まさか。まだ中学生ではないか。小さな草子。あのひとにそっくりな背骨をした、私の三つ目の宝物。

海岸には人がいない。波に掃かれた砂はそのまま寡黙《かもく》な灰色に乾き、小枝だのビニー
「男運！」

ル袋だのがところどころにわびしくとり残されている。

――高校を決めたの。

ゆうべ、草子は事もなげに言った。

――推薦はもらえるって。その先はわからないけれど。わからない？ あんなに成績がいいのに？

――だって、すごくレベルの高い学校なんだよ。

草子は困ったようにわらっていた。

――寮なんてだめよ。絶対にだめ。

私は言ったが、草子はびくともしなかった。

――週末には帰ってくるから。べつに外国にいっちゃうわけじゃないし。面会だって学校見学だってどんどんできるし、いまとあんまり変わらないよ。

私は愕然《がくぜん》とした。

――面会って、刑務所じゃあるまいし。冗談じゃないわ。

ほんとうに冗談じゃない。なんとかしなくてはならないし、なんとかならないはずはない。

学校は、おなじ神奈川にあるらしい。栗平《くりひら》とかいう場所で、草子にいわせれば、「逗子からは目と鼻の先」だ。

――みて。

さしだされた学校案内には、偏差値のグラフや卒業生の進路、前年度の応募状況や学費一覧のほかに、制服姿の学生の写真や、設備の説明なんかがのっていた。

――修学旅行は中国なんだって。

草子はそんなことを言った。

――中国？ 中国にいきたいの？

私が言うと、呆《あき》れた顔でため息をついた。

――どうして寮なの？ 通学すればいいじゃない。三年間、絶対引越さないから。約束するから。そうだ、その栗平っていうところに引越しましょう。

私が言葉を重ねれば重ねるほど、草子はかなしそうな顔になった。

――もう、決めたの。

頬のふっくらした小さな顔が、意志的にひきしまっていた。

――どうしてなの？

納得できずに私は訊いた。いままで、ずっと二人で生きてきた。中学校の三年間も、草子の希望通り引越さずにここにいる。

――どうしても。もう、決めたんだってば。

草子は頑固だった。

――これが現実なんだよ？

私の顔をみずにそう言った。

――あたしは現実を生きたいの。ママは現実を生きてない。

私には、何のことだかさっぱりわからなかった。ただ、顔を歪《ゆが》めて泣きだした草子を茫然《ぼうぜん》とみていた。

――ごめんなさい。

小さな声で、苦しそうに草子は言った。

――なにをあやまるの？

草子は泣きじゃくっていた。泣きじゃくって、泣きやもうと洟《はな》をかみ、また泣きじゃくった。そうしてそれから湿った声で、

――ママの世界にずっと住んでいられなくて。

と、言ったのだった。

風がつよい。

どんよりと凪《な》いだ海に、表面だけ風が渡ってさざ波をたてている。

泣いてはいけないと思った。泣いてはいけない。泣いたら受け容《い》れることになってしまう。草子のいう「現実」とやらを。ほんとうはちがうのに。ほんとうはそうではないのに。

でも、どうしていいのかわからなかった。それで私はひたすら歩きまわっている。狂女みたいに。「現実」から見放された狂女みたいに。

くるぶしまである黒いブーツは砂と潮でべたべたに汚れている。髪も肌もコートもスカートもだ。

あのひとがいてくれたらいいのに。ここにあのひとがいてくれさえしたら、きっと草子をひきとめてくれるのに。

――だめよ。

ゆうべ私はそう言いつづけた。

――寮なんて許さないし、学費もだしません。書類もみないし、面接にもいきませんからね。

草子は反論しなかった。疲れきった顔で私をみた。捨てられた犬みたいに。

街灯にあかりがつき始めている。土手をのぼり、国道ぞいを歩く。大きな音をたててトラックが通りすぎる。私は歩きながら煙草をくわえ、何度も失敗してようやくライターで火をつけた。煙を深くすいこんで吐く。トンネルの入口にもたれて、ゆっくり一本だけすった。草子と私が、「暗い森」と呼んでいるトンネル。

夕方だ。ひき返して店にでなくてはならない。目をこらしても、ハルダウンにはなにもみえない。

りんごうさぎ

逗子も冬は寒い。ゆうべは、ほんの一瞬だったけれど雪がちらついた。二月。草子の言葉数が減ったことをのぞけば私たちの生活は何も変わらないし、寮の話もあれ以来でない。

でも私にはわかっていた。草子はでていくのだ。かつて私が家出をしたように。もっとずっと冷静な方法で、もっとずっと注意深く。

——葉子はいいこだな。

昔、父は私を膝《ひざ》にのせ、頭をなでながらよくそう言った。

——せかいいちだよ。

私は問題ばかりおこす子供だったのに。

海は鈍い色をして、重たげに波を伝えている。人けのない、冬の海。このごろ、散歩がただの日課になってしまっている。歩いていても、ちっともたのしくないし、なんだか希望がないような気がする。向うからあのひとが歩いてくるかもしれない、と感じるのはあいかわらずなのに。

ロッド・ステュアートを聴きながら、灰色の空を眺めながら砂浜を歩く。希望というのは未来にある何かではなくて、いまここにある何かなのだ。たぶん。

HAVE I TOLD YOU LATELY という曲のイントロで、私はふいに泣きそうになる。ロッド・ステュアートのCDは、昔あのひとにもらったものだ。ほんとうに、随分昔。

先週、草子に手厳しいことを言われた。思いだしたくはないけれど、忘れることも、また、できない。もっとも、草子を責めるわけにはいかない。草子はあのひとに会ったことがないのだから。

足元の木ぎれを拾い、目的もなく手に持ったまま歩いた。癖なのだ。海辺を歩くときは、いつもこうして何かを拾う。そして、この無駄な癖は草子にもある。二人で散歩をしていると、いつのまにか二人とも、両手がいっぱいになってしまう。

私は上を向き、目をとじて潮の匂《にお》いをすいこんだ。きょうはレッスンの三つある日だ。今年になって、私は授業料を値上げした。私の生徒は経済的に余裕のある人たちなので、一万円の月謝が一万二千円になったところで、たいして困りはしないだろう。

うちに帰るとママはピアノにでかけていた。ママがレッスンで留守だとわかっている日、あたしは学校から帰るのが気楽だ。

＊

例年どおり店をしめ、外国にいっている『ハル』のマスター夫妻から、絵葉書きが来ていた。ママとあたしに一枚ずつ。マスター夫妻は、高校のことで、あたしの味方をしてくれている。

テーブルに、ママからのメモとおやつが置いてある。あたしは着替えて洗濯物をたたみ、おやつを食べてから勉強を始めた。あたしのいきたい高校は偏差値が高い。「すばらしく頭がよかった」というパパの血にでも頼りたい気分。

でも、頼れるものと頼れないものの区別について、あたしはママより現実的な考えをもっている。だからうんと勉強をするのだ。それに、勉強はたのしいと思う。ただの受験勉強でも。

一方で、あたしは浪人も覚悟している。あたしの志望校は、一浪まで可、なのだ。もしママがこのまま許してくれなければ、自分でお金をためなくてはならない。そうしたら、来年、アルバイトをしながら浪人をするつもりでいる。『ハル』のマスター夫妻はあたしを雇ってくれると言っていた。

——でも、高校浪人なんて時間の無駄だよ。

マスターはママにそう言ってくれた。

——お金のことだったら何とでもするし、もし草子ちゃんがどうしても返すって言うんなら、これからゆっくり返してもらえばいいんだし。

とも。

ママは口もきけないほど腹を立ててしまった。

——余計なことです。

やっと声をだしてそう言った。佐知子さんが上手に割って入ってくれなかったら、あのときママは『ハル』を辞めていたと思う。ママはあたしに腹を立てるべきであって、あの人たちに腹を立てるべきじゃなかったのに。あたしはママを、そういうところは冷静なひとだと思ってたのに。

頼れるものと頼れないもの。

それについて考え始めると、あたしはひどくかなしくなる。ママとあたしは、ほんとはちっとも似ていないのだ。

玄関で音がして、ただいま、と言うママの声がきこえた。それから、スーパーの袋のがさがさいう音。

「おかえりなさい」

あたしは言い、ぎこちなくママの抱擁をうけとめる。

「寒かったでしょ」

スクーターで走ってきたママのほっぺたは、氷のようにつめたい。

「また勉強をしてたの？」

机にひろげた参考書やノートをちらっとみて、ママは言った。

「うん、ちょっとね」

こたえながら、ママを傷つけた気がしてまたかなしくなる。知ってる。ママはあたしが絵をかいていたり、おやつを食べていたり本を読んでいたり、下手なピアノを弾いていたりする方がうれしいのだ。小さいころみたいに。

「あんまり勉強ばっかりしてると目が悪くなるわよ」

買ってきたものを冷蔵庫にしまいながら、そんなことを言った。

もっといい理由を思いついてよ。

心の中で、あたしは意地悪を言う。

夕食のあと、ママはこのごろ何時間もピアノを弾く。あたしの知らない曲ばかりだけれど、その中の一曲は、あんまり何度も弾くのでメロディを憶《おぼ》えてしまった。軽やかでやさしい、しずかな曲だ。ピアノを弾くママの横顔は、透明で強くてとてもきれいだと思う。

先週、ママは四十一歳になった。誕生日に、あたしはママに、写真立てとチョコレートをあげた。チョコレートは、勿論《もちろん》ママのいちばん好きな、赤い箱のリンツ。

――いろんな人がチョコレートをくれるけど、

うれしそうに、ママは言った。

――これをくれるのはあなただけよ。

それからあたしを抱きしめて、

――いい背骨。

と言ったのだった。

あたしは自分がむっとした顔になるのがわかった。

――背骨をほめるのはやめて。

ついそう言ってしまった。ママの誕生日だったのに。

――なぜ？

ママはおどろいた顔をした。あたしは口ごもり、結局、べつに、と、こたえた。ママは問いつめなかった。

ママがあたしの背骨をほめるとき、あたしはほめられているのが自分ではなくパパみたいな気がしてしまう。パパのかわりに抱きしめられているような。

――べつにって言うの、やめてちょうだい。

ママは言った。

――前から一度言おうと思ってたの。私はその言葉が好きじゃないわ。

あたしはすごく不愉快になった。だってテーマが違うもん。それであたしは返事をしなかった。

――わかったの？

ママにたたみかけられて、余計黙った。

――草子。

――あたしはパパじゃないもん。背骨はパパに似てるのかもしれないけど、でもこれはパパの背骨じゃなくてあたしのだよ。

ママには全然わからないらしかった。

――あたりまえじゃないの。

むしろおどろいた顔でそう言った。

――パパなんてどこにもいないんだよ？

言った途端に後悔した。後悔したけれど、止まらなかった。

――もう箱のなかなんだよ？ いつもママが言ってるじゃない、すぎたことは全部箱のなかなのよって。

ママは、ビデオの一時停止ボタンをおしたみたいな顔をしていた。声も、表情も、呼吸さえ忘れたみたいな顔。

あたしは心から自分を呪《のろ》った。

ピアノの音が止《や》み、気がつくとママは台所に立っていた。コーヒーの匂い。

「休憩にしたら?」

右手でカップにコーヒーをつぎ、左手で煙草《たばこ》を持ったママが言う。

「あんまり根《こん》をつめても能率はあがらないわ」

*

桃井先生と暮らしていたころ、私は先生のためにたくさんの料理を覚えた。つくだ煮を煮たり漬物をつけたり、魚をひらいてベランダに干したりした。先生は、私がそういうことをするのを好んでいた。

私は化粧をしなかった。テレビをみなかった。数少い友人や家族とも連絡をとらなかった。日々の散歩や近所での買物以外、外出をしなかった。桃井先生と暮らしていたころ、そして、あのひとと出会わなかったころ。

三月の海は穏やかな表情で、『ハル』の窓の外遠くに横たわっている。常連客はあいかわらずランチを食べにきて、夜は一、二杯お酒をのんで帰っていく。

「コーヒーをのむ?」

佐知子さんに訊《き》かれ、私は首を横にふった。話をする機会をつくりたくなかった。去年草子の進学をめぐるごたごたがあってから、『ハル』はあまり居心地のいい職場ではない。午後四時、店には客が一人もいない。

「草子ちゃん、意志がつよいのね」

コーヒーもなしで、佐知子さんは言った。私は二、三度こまかくうなずいたが、それ以上話したくない気持ちがみえすいていたらしく、佐知子さんはすこしわらった。

「そんなに身構えないで」

と言う。

「そのスカート、素敵ね」

それから急にそんなことを言い、

「なんだかモダンな修道女みたい」

とも言った。モダンな修道女というのがどういうものだかわからなかったが、私は曖《あい》昧《まい》に微笑《ほほえ》んでみせた。紺色のジャンパースカートは、昔桃井先生に買ってもらったものだ。佐知子さんは、きょうもチェックのシャツを着ている。

親切な人たち。

私は裏庭にでて、煙草をすった。さむざむしくまだらに芝が枯れ、軒下にダンボール箱の積まれている裏庭。まだあかるいが、夕暮れの空気はかすかにスミレ色がかり、深呼吸すると心細い気持ちになった。

ここからでていきたい。

そう思った。この店から。この街から。ここは私の居場所ではない。

この街に来て、二年になる。

*

「引越そうと思うの」

ママが言った。

「もちろん、約束どおりあなたの卒業を待ってから」

朝食がわりのコーヒーをのみながら。朝のママは顔色が悪い。

「いいよ」

あたしは全然あわてなかった。

「あたしはどうせ寮に入るし。浪人なら、マスターのとこに住み込みで働くから」

ママはためいきをつく。

「草子」

疲れた顔。あたしは、ずるい、と思った。疲れた顔なんかするのは、ずるい。

「ここは私たちの居る場所じゃないのよ」

ママが言い、あたしはおどろいた顔をしてみせた。

「居る場所？　あたしたちに居る場所なんてあったことはないじゃない？」

だって、旅がらすなのだ。そしてあたしは、もう旅にうんざりしている。

「あるわ」

ママは言った。

「言ったはずよ。いつかパパに会えるって。あなたのパパが、私たちの居る場所なの」

またパパ。

「狂ってるわ」

あたしはあきれて言い、いつものように、言った途端に絶望的にかなしくなる。ママにやさしくしたくてたまらなくなって、

「そこはママの、居場所かもしれない」

と、言い直した。

「でもあたしのじゃないよ」

あたしは現実を歩きたいのだ。ちゃんと。

「もういかなきゃ。遅刻しちゃう」

あたしは中学三年生になった。夏までには、希望する進路を提出しなければならない。

今朝は体育館で朝礼があった。旧校舎と体育館をむすぶ渡り廊下は、山の緑がすぐそばにみえるので気持ちがいい。緑はきれいな色だと思う。

「あ、沢田先生だよ」

依子ちゃんが教えてくれた。先生は駐車場のわきを歩いている。見馴《みな》れたスウェードのジャケット。非常勤なので、沢田先生は朝礼にはでない。

——おみやげ。

新学期が始まってすぐ、部活の前に、先生が薄い本をくれた。

——他の人たちには内緒だけど。

と言って。あたしはすごくどきどきした。先生は、春休みにニューヨークにいったのだそうだ。

——近代美術館で、たまたまボナール展をやっていてね。

それは、ボナールの、ペーパーバックの画集だった。

——いいんですか？

先生はにっこりしてうなずいた。画集のことは、もちろん誰にも言っていない。ママにも、依子ちゃんにも。あたしの宝物。

渡り廊下は、ぞろぞろと移動する生徒たちで一杯だ。

＊

午前中はずっとピアノを弾いていた。ピアノを弾いていれば、すくなくとも冷静でいられる。子供のころからそうだった。いやなことがあるとピアノを弾いた。何時間も、何時間も。

あのひとがいってしまったときも、一日ピアノを弾いていた。弾くのをやめると涙がでた。私がそんなふうにピアノを弾き続けるのを、桃井先生はただじっとみていた。黙って。表情のよみとれない顔で。

草子を止めることはできない。

それはわかっていた。先生に私が止められなかったのとおなじだ。

——大きな手だね。

いつだったか、あのひとは言った。

——この手、大好きだよ。

骨ばって大きな、男の人の前ではなんとなく隠したくなる私の手に唇をつけ、あのひとはそう言った。

——この手がどんなに速く力強く鍵盤《けんばん》をとらえるか、どんなに美しい音をつくりだすか、どんなに微妙な音色を弾き分けるか、俺は知ってる。

私たちは、いつも手をつないで歩いた。私の手は、あのひとの手が大好きだった。私たちの小さな草子。

——寮？　どうして反対するの？

あのひとなら、もちろんきっとそう言うだろう。

——いいと思うよ、俺は。

私をうしろから腕に入れ、耳元でそっとそう言うだろう。私がとり乱さずにすむように。

＊

はじめからわかっていた。どっちみちかなしいのだ。

『ハル』で夕食を食べたあと、うちに帰ろうとしたあたしに、

「どうしても寮に入るっていうんなら、それもいいでしょう、きっと」

と、ママが言った。ごく普通の顔で。あたしはちょっとびっくりして——でもほんとは全然びっくりしなかったような気もするんだけれど、でもともかく——、ほんとう？と、訊いた。ママはそれにはこたえずに、

「試験、通るといいわね」

と、言った。あたしは咄嗟《とっさ》に、どう返事をしていいかわからなくて困ってしまった。ここのところずっと、反抗的な返事をすることに慣れてしまっていたから。

「ありがとう」

やっとそれだけ言った。ママはしずかに微笑んだけれど、あたしはうれしさより淋《さび》しさで胸がいっぱいになった。

はじめからわかっていた。どっちみちかなしいのだ。ママの意見に耳を貸さなかったのも、ママが意見を曲げたのも、はじめてのことだ。それ以上に、あたしが、ママがかなしむとわかっている決心をしたのも。きっと後悔する。そう思った。ちがう。もう後悔をし始めている？　寮。ママと別々の生活。何のために？　ママが許してくれた以上、今度はあたしが自分を責める番だ。寮。ママと別々の生活。どうしても？

たように贅沢《ぜいたく》な緑だ。

＊

逗子は緑の濃い町だ。五月。安普請《やすぶしん》の白いアパートの窓の外さえ、いまの季節は濡《ぬ》れたように贅沢《ぜいたく》な緑だ。

今朝起きると、最近いつもそうであるように、朝食の仕度ができていた。草子は「早朝講座」があるとかで、随分早く学校にいってしまう。朝は食欲がないと何度言っても、草子は私に「コーヒー以上のもの」を摂《と》らせたがる。卵とか。野菜とか。今朝はりんごがむいてあった。りんごは、一つだけうさぎになっていた。

あのひとはどこにいるんだろう。

煙草に火をつけてゆっくりと深くすいこみ、私は考える。あのひとはどこにいて、いまなにをしているんだろう。

もう、だめかもしれない。

そう思った。あのひとなしで、草子もなしで、私は一体どうやって生きていけばいいのだろう。

2004・東京

随分とよく晴れた四月の朝に、草子がいってしまって一ヵ月になる。

人生はふいに暗転するのだ。

「暗転っていったって不幸があったわけじゃなし、嬉《うれ》しいことなんだから」

佐知子さんは笑いながらなぐさめてくれる。無論、佐知子さんにとってはそうだろう。

「葉子さんもそろそろ草子ちゃん離れして、自分の幸せを考えないとね」

マスターにそんなことを言われるとうんざりする。私の幸せ？　そんなものはとっくにみつけたし、それ以来私はずっと幸せだ。

「大丈夫だよ、草子ちゃんはしっかりしてるから」

常連客の河野さんも若月さんも、口を揃《そろ》えてまのぬけたことを言う。そりゃあ草子は大丈夫だ。あのひとに似て聡明《そうめい》だし、それに信じられないくらい意志がつよい。

でも。

私は商売用の笑顔さえ上手《うま》くつくれないまま心の中で考える。

でも、草子は一人に慣れていないのだ。

私とあのひととの、小さな草子。夜中に生まれてきた草子。私の人生のよろこびだった草子。高崎に住んでいたころ、保育園にいく道々、だんだん心細い顔になり、園の入口で毎朝きまって泣きべそをかいた。私の足にすぐぺたりとしがみついてしまった草子。草子がいなくなってから、私たちのアパートは死んだようにしずかだ。色も音も失って、空気がまるで動かない。

私は朝何のために起きればいいのかわからないし、何のためにごはんを食べたりするのか、何のために働いたりするのかもわからない。半分死んだまま暮らしている。

「店をしめてから、今夜ちょっとどう？　おいしいブランデーがあるの」

佐知子さんがそんなことを言ったけれど、私は丁寧《ていねい》に断った。酔っ払ってくだをまくつもりなんてない。

二週間前の土曜日に、草子が一晩だけ帰ってきた。でていってたった二週間だったのに、なんだか別の気配をまとっているような気がした。私は無理をいって店を休み、草子と二人で食事をし、日曜日の朝は海岸を散歩した。でも、どういうわけか、話すことはあまりなかった。

――問題はないの？

私が訊《き》くと、草子はあっさりと、

――全然。

と、こたえた。全然！　私は内心憤慨したが、でも、それではほかに一体どんな返事が期待できたというのだろう。

問題などないことはわかっていた。学校についていろいろ調べたし、寮の下見にもいった。入学式には、他の新入生たちにまざって、まるでそのへんの高校生みたいな顔をしている草子を遠くから――そう、ひどく遠くから。〝父母〟にはそれ以外の選択肢はないのだ――みた。担任にも生活主任にも挨拶《あいさつ》したし、寮長さんには心配ありませんからとまで言われた。ばかばかしい。あのひとたちに何がわかるというのだろう。

五月。久木《ひさぎ》神社の境内は、随分と葉のしげったあじさいが、その葉とおなじみどり色の、小さくてまるい花をつけ始めている。

＊

ママは思ったより落ち着いていた。あたしが家に帰った二日間で十回くらい、「それならいいの」と、言った。

――お友だちはできたの？

――友だちっていうか、おんなじクラスの子たちとはしゃべるよ。

——たのしくやってるのね？

——うん。

——それならいいの。

　とか、

——問題はない？

——全然。

——そう。それならいいの。

　とか、そんなふうに。

　いくつか質問をしたほかは、ママは無口で、あいかわらず煙草《たばこ》ばっかり吸っていて、別れ際《ぎわ》も——寮に引越した日とおなじように——、元気でね、と、言っただけだった。

　寮に引越した日。

　でもあれは、あたしの人生でいちばんかなしかった日だ。なにもかもとどこおりなく進んだにもかかわらず。引越しなんてし慣れているにもかかわらず。ママもあたしも、感傷的なことは一つも言わなかったにもかかわらず。晴れた、誰にもどうしようもない、自業自得《じごうじとく》の、やたらにかなしい日だった。

——じゃあ、元気でね。

　そう言ったママの、しずかすぎた声。

推薦入試に受かり、手続きをして、中学を卒業し、『ハル』でおいわいをしてもらい、荷づくりをして、引越しの日は、ママもあたしも、すでにどこかでなにかをあきらめたあとだった。

二月から四月までの日々は、風邪で熱があってぼうっとしているときみたいに、なにもかも現実じゃないみたいにすぎていった。

そうやって、あたしは家をでたのだ。

ママが桃井先生の家をでた日も、こんなふうだったのかもしれない。引越した日、あたしはそんなことを思った。かなしくて、後悔というよりまだ信じられない気持ちでいっぱいで、でも頭のどこかが変なふうに冷静で、もうひき返すことはできなくて、ともかく前へ前へ進んでしまう。前へ前へ進んでしまえば、最後には夢からさめて、元に戻れるとでもいうように。

＊

雨。

チャコールグレイの海の表面いちめんに、叩《たた》きつけるように雨が降っている。午後二時。『ハル』はきょうひどく暇だ。マスターは朝からずっとビートルズをかけている。

「私たちが出会ったときね、このひと、女性問題でもめてる最中だったのよ」

佐知子さんが言った。

「相談にのってるうちに結局私たちがこういうことになっちゃって」

相槌《あいづち》をうったが、私には、佐知子さんがどうしてそんな話をするのかわからない。

「トマトチキンはいまひとつだったな」

週替わりのランチメニューを書き替えながら、マスターが首をひねった。それから窓の外をちらりとみて、

「雨足、弱まらないねえ」

と、言う。

私は息苦しかった。マスターや佐知子さんがやさしければやさしいほど、ここをでていきたくなる。

ほんとうは、草子が引越したらすぐに私も新しい町に移るつもりだった。新しい町。どこでもいい。知りあいのいない土地なら。

それなのに、草子がいなくなった途端、動く気力もなくなってしまった。

逗子に来て三年三カ月たつ。一つの場所にながく居すぎた。私の居る場所ではないのに。

——あたしたちに居る場所なんてあったことはないじゃない？

草子の言葉を思いだし、私は胸の中でため息をついた。

――これが現実なんだよ?

ランチの皿を乾燥機からだして、所定の棚に片づける。

――あたしは現実を生きたいの。

そして、草子はいってしまった。私の手の届かないところに。

「私、この曲好きだわ」

佐知子さんが言う。肌寒い日だ。

あのひとと必ず会えるなんて、一体どうして信じていられたのだろう。草子がいなくなってしまったいま、あのひとの存在さえ、私の想像の産物だったような気がする。あの目も、あの声も、あの腕も。草子がいなくなってしまったいま、あのひとがかつてたしかにこの世に存在し、私を愛してくれたということを、示す証拠は何一つない。

＊

高校に入って二カ月になる。ママには約束どおり毎週手紙を書いている。苦心して、できるだけ長い手紙を書いているつもりなのだけれど、ママからの返事はいつもひどくそっけない。それでも、ママの字をみるとほっとする。ママの字は大きく、丁寧で、青インクのボールペンで書かれている。あたしはその手紙から、海岸にまた海の家がたち始めたことや、ママがピアノに消音装置をつけたことを知った。

寮は集団生活なので、食事もお風呂《ふろ》もすべて時間が決まっている。規則が多いことというよりいたるところで人と顔を合わせることがつらいけれど、学校生活は快適だ。進学校というものは、想像以上に平和なものだ。みんな互いに余計な干渉をし合わない。

あたしは英語に賭けているので、英語だけは無茶苦茶勉強をしている。ネイティヴの先生もいるし、視聴覚やLLの設備がゴージャスなのでおもしろい。

あたしの部屋は二階の隅。壁はクリーム色で、狭いけれど冷暖房はついている。アリーとピンクのくまはクローゼットの中。飾りはなにもないけれど、いつもベッドサイドに置いてある画集が、飾りといえば飾りだと思う。沢田先生にもらった、ボナールの画集。

＊

『ハル』を辞めた。

ピアノは教えているけれど、いい教師ではないのが自分でもわかる。

ピアノに消音装置をつけたので、夜中でも早朝でも弾ける。それだけが最近のすくいだ。

――音楽は確かだ。

桃井先生がよくそう言っていた。

――人間とちがって、音楽は確かだ。つねにそこにあるんだからね。鍵盤《けんばん》に触れるだけでいい。いつでも現れる。望む者の元に、ただちに。

望む者の元に、ただちに。

毎朝布団《ふとん》の中で考える。このまま眠っていてはなぜいけないのだろう、と。現実を生きるのは草子にまかせて、このままあのひとのいる場所――それが現実からどれほど遠くだろうと――で一生をまどろんですごしてなぜいけないのだろう、と。

眠っていれば、運ばれていくような気がする。あのひとのところへ、私の居るべき正しい場所へ。

明け方みる夢はいつもあのひとの夢だ。でもそれが夢なのか想像なのかはわからない。

散歩は、いままでと違う意味をもつようになった。一人で歩いていると、まるで見知らぬ町にいるような気がする。ああ私とこの場所はちぐはぐだ、と、思う。よそ者であることの確認。

草子の好きだった百合《ゆり》の咲く家も犬のいる家も、私にはひどくよそよそしい。

寝酒の習慣がついてしまった。寝る前に、毎晩ワインを一杯だけのむ。のまないと眠れないのだ。でも一杯だけだ。それは決めている。アメリカの小説にでてくる哀れな女のようにのんだくれたら、あのひとをかなしませると思うから。

お笑い草だと自分でも思うが、それでもまだ、あのひとを信じているのだ。

＊

もうじき夏休みだし、無理に帰ることはないわ。

電話口でママはそう言ったけれど、あたしは次の土曜日に帰ることにした。佐知子さんから手紙をもらったのだ。葉子さんのことが心配です。手紙にはそう書いてあった。ママが『ハル』を辞めたことは、ママからの手紙で知っていた。そろそろ引越そうと思うので店を辞めました。ママはそう書いていた。

元気？　電話で訊けば、ママはきまって元気よとこたえる。元気？　ママに先に訊かれれば、あたしもきまってそうこたえるように。

公衆電話は集会室の端に並んでいる。いつも誰かが家に電話している。

中間試験の成績はまあまあだった。いままでみたいに「すごくいい」というわけにはいかなかったけれど、これが実力なのだなと思う。

また美術部に入った。美術室のほかに部室があって、でもそこはいつでも散らかっていて、居心地が悪い。先輩の中に一人、すごくきれいな女の人がいる。

土曜日は雨だった。電車をのりついで逗子に帰った。逗子に帰るとき、あたしはいつも、淋《さび》しいような、うしろめたいような気持ちになる。どうしてだかわからないけれど。

「おかえりなさい」

いつものように、ママは玄関でそう言った。ママは絶対駅に迎えにきたりしない。

「ちょうどお菓子が焼けたところよ」

部屋の中は、チョコレートケーキのいい匂《にお》いがしている。ママはすこしやつれてみえた。

住んでいたときは全然そんなふうに思わなかったのに、こうやってたまに帰ってくると、あたしたちのアパートは狭くて随分くたびれている。白い、少女趣味なアパート。

「いつごろ引越すの？」

ケーキを食べながら、あたしは訊いた。

「まだわからないわ」

ママは言い、濃いコーヒーを啜《すす》る。

「佐知子さんが心配してたよ」

あたしが言うと、ママは表情を変えずに煙草に火をつけた。そう、とだけこたえる。

「今度はどこに住むの？」

変にあかるい声で訊いてしまった。ママはそれにはこたえずに、

「今夜なにが食べたい？」

と、訊く。

「なんでもいい」

重い気持ちになりながら、あたしはカフェオレを啜った。

＊

外泊証明書に判を押し、日曜日の午後、草子を帰した。それから、夕方までずっとピアノを弾いてすごした。

草子は、会うたびに大人っぽくなっていく。わかっていたことだ。いつまでも閉じこめておくわけにはいかない。

——これが現実なんだよ？

草子の言葉は、私がずっとみてみぬふりをしてきたものかもしれない。

なんだか疲れてしまったので、夕食は食べずに布団に入る。一杯だけのワインをのみながら、地図をひらいて引越しについて考えた。どこでもいい。はやくここをでなくて

はいけない。

あのひとの腕の中で眠りたい。

一晩だけでいい。それができるなら死んでもかまわない。心からそう思った。

＊

「元気？」

ママがそう言うより早く、電話口であたしは言った。

「元気よ」

電話の向うで、小さく微笑《ほほえ》む気配がする。

「ほんとに？」

一瞬のまのあとで、「そう言ったでしょう」というママの声。

七月。ママはどんどん遠くにいってしまう。家をでたのはあたしなのに。

「夏休みになったらすぐ帰るから」

ママはこたえない。

「ママ？」

煙草をくわえ、火をつける気配がした。

「きょうの夕御飯は何だったの？」

「ロールキャベツとミネストローネ」

集会室のテレビにはお笑い番組が映っているけれど、電話のある場所はすこしはなれているし、ヴォリウムが小さいので音はほとんどきこえない。

「おいしそうね」

「そうでもないよ」

ずっと考えていることがある。授業中も、部活中も、食事中も、ずっと。

「ママ」

あたしはそれを口にだした。

「あたし、帰ろうか？」

ママはすこし黙ってから、

「夏休みに？」

と、訊いた。そういう意味じゃないことはわかっているくせに。

「ちがうよ」

あたしは青いリノリウムの床と、スリッパをはいた自分の足先をみつめる。

随分ながく思えるまのあとで、ママはため息をついた。

「下らないことを言うのはやめなさい」

でも、と言いかけたあたしにはおかまいなしに、

「もうホームシックなの？」

と、ママは言った。

「だらしがないのね」

あたしが黙っていると、ママはさらに、

「信じられないわ」

と、言う。

「あのひとの娘とも思えない」

あたしは返事をしなかった。

「夏休みに帰っていらっしゃい。それで秋に学校に戻るの。いいわね？」

なんだかしらないけれど泣きたくなった。

「いいわね？」

ママがもう一度言い、あたしは、わかった、とこたえた。

「よろしい」

ママは微笑んだ声をだしたけど、声にはやっぱり元気がなかった。

＊

せみしぐれの降るなか、ひさしぶりに『ハル』にいった。引越しの挨拶《あいさつ》をするためだ。

「淋しくなるわ」

佐知子さんは言った。

「でもまた顔をみせてくれるんでしょう？」

いつものように、チェックのシャツを着ている。

「うちの船にも乗ってもらわなきゃ」

マスターが言う。

「ありがとうございます」

店の中は冷房がきいていて涼しい。カウンター、カップボード、冷蔵庫、見馴《みな》れた店の中。

草子に電話をもらったあとすぐに、引越し先を決めた。草子の言う「現実」を生きるつもりはないけれど、それから逃げるつもりもさらさらない。

「東京に帰るんだって？」

「はい。ひさしぶりに」

私はできるだけにこやかに言った。

「何年ぶり？」

佐知子さんに訊かれ、十六年、とこたえる。十六年。

「落ち着き先がきまったら知らせてね」

私はもう一度微笑んで、はい、と言った。

*

ママからそっけない手紙がきた。あたしはそれを一度読み、ちょっとぼうっとしてからもう一度読み、おさらいみたいにもう一度読んだ。どきどきして、そのどきどきはなかなかしずまらなかったけど、でもびっくりはしなかった。

こういう手紙だ。


草子。元気ですか。引越すことにしました。今度は東京です。住む場所が決まったらすぐに連絡するけれど、ママの実家の住所と電話番号を書いておくので、夏休みはまずそこに帰りなさい。ママの両親、あなたのおじいさんとおばあさんがいます。連絡はしておきました。二人とも生きていました。いい人たちです。お行儀よくしてね。期末試験がんばりなさい。会いたいわ。あなたはママの宝物です。

ママより

ママらしい、と思った。用件しか書いていない、けっこうとっぴょうしもないことが書いてあるのに平然とした手紙。

手紙はきのう届いて、きょうから期末試験だ。東京。おじいさんとおばあさん。あたしはうまれてはじめて、試験がおわらなければいいと思っている。

＊

東京の夏の暑さはへんなふうにドライだ。電車を降りてすぐ、それを思いだした。東京の夏の空の青さも。

プラットフォームで、しばらくじっとしていた。

なにも変わらないように思える。人が多くて、みえるのはビルばかりだ。くらくらする。

私はここで生まれ、ここで生きていた。私の不在など、この街にとってはなんでもなかったのだ、と、すぐにわかった。この街の鼓動。

思いがけないことに、皮膚がたちまち記憶をとり戻し、手も足も髪もみるみる周囲の空気に順応するのがわかった。

信じられないほどのなつかしさだ。感情としてのそれではない。頭や心は硬直しているのに、体が勝手に呼吸してしまうなつかしさ。

十六年？　まさか。

私は目をとじて街の匂いをすいこんだ。なにもかも夢だったような気がした。逗子も高萩も川越も、草加も今市もなにもかも。それどころか草子の存在さえ。

ふらふらと灰皿のある場所まで歩き、煙草に火をつけた。広告文字の入った鏡に現実が映っていた。何もかも捨てて旅にでたとき、私は二十代の娘だったのだ。

その日はどこにもいかなかった。東京駅のホテルに一泊した。夜、ホテルのレストランで、一人でフランス料理を食べた。

部屋に戻り、シャワーをあびてから実家に電話をかけた。

「葉子です」

私が言うと、母は一瞬――たぶんまばたきをするまくらい――黙ってから、

「どこにいるの？」

と、訊いた。先週、十六年ぶりに電話をしたとき、母は泣いて口がきけなかったが、

きょうは泣かなかった。むしろ怯《おび》えているような声だったので、私は自分が幽霊になったような気がした。

「東京」

「東京のどこ？」

ホテル、とこたえて私はベッドに腰掛ける。立ったまま電話をしていたのだ。

「どこのホテル？　どうしてうちに帰ってこないの？　草子も一緒なの？」

私は煙草をくわえ、火をつけた。母の顔をうまく思いだせない。

「葉子？　そこにいるの？　切っちゃだめよ、いまパパにかわるから」

母はわりと早くに私を産んだのだけれど、昔から、年齢のわりには歳《とし》をとってみえた。あなたが苦労ばかりさせるから、と、従姉《いとこ》の美保子ちゃんは私に言った。

「葉子か？」

父の声はなんだかせっぱつまったものにきこえる。私は父の顔もうまく思いだせない。

「元気なのか？」

ええ、と、やっとこたえた。

「早く帰ってきなさい。もう、いいから」

もう、いいから。何がもういいのか、ともかく父はそう言った。

「パパ、この前も言ったけど、私はそこには帰れないの。それで草子が電話をしてきたら、悪いんだけどしばらく――」

わかってる、と、父は言った。

「わかってる。それは心配しなくていいよ。だからお前も早く帰ってきなさい」

「パパ」

私は自分がふるえていることに気づいた。

「とにかく、草子をよろしくお願いします。また連絡するから」

電話を切っても、まだしばらくふるえていた。

＊

小田急線の新宿駅のホームで、あたしはその人たちに会った。その人たちってママの両親のことだけど。前の日に電話で約束したとおり、二人はホームのいちばんうしろに立って待っていた。すぐにわかった。二人とも泣きそうな顔をしていたから。

「草子？」

おばさんが先に言った。おばさんじゃなくておばあさんなのは知ってるけど、でもとにかく。

「大きくなって」

おばさんは泣いてしまった。あたしはなんだか悪いことをしたような気になって、ママのかわりにあやまりたくなった。ママが親不孝をしてすみません、とか。でも勿論《もちろん》あやまることはできなかった。緊張していたし、どうしていいかわからなかった。

おじさんは何も言わなかった。あたしの鞄《かばん》を持ってくれようとしたので、あたしは、いいです大丈夫、と言った。でもおじさんは持ってくれて、

「いこう」

と、言った。デパートの駐車場に車を置いてあるから、と。

「栗平《くりひら》ですって？　そんな近いところにいたなんて」

おばさんは言い、我慢できずにまたまた泣いてしまった。

ママの家は松原というところにあった。二階建ての小さな家だった。応接間のピアノの上に、ママの写真と赤ん坊のころのあたしの写真が飾ってある。不思議な気持ちだった。あたしのために、新品のごはん茶碗《ぢゃわん》と本が用意されていた。ごはん茶碗はうすいピンクで、白い梅の花のもようがついている。本は、メアリー・ノートンの小人のシリーズが五冊だった。

「いるものがあったら言ってね。いきなりこんなところで夏休みをすごさなくちゃなら

なくなって、あなたも戸惑うだろうけれど」

おばさんによると、あたしは子供のころのママにそっくりなのだそうだ。あしたかあさってアルバムをみせてあげる、と、おばさんは言う。葉子からもじきに連絡が入るはずだから、と。

あたしはその晩ママの部屋で眠った。あたしとママの人生が、正しい——でも見知らぬ——場所に吸収されるような気がした。ここに住んでいたころのママを想像しようとしたけれど、できなかった。それで、かわりにあたしの知っているママを思いだしながら眠った。ピアノを弾くママの手や横顔や、あたしをうしろから抱きしめてくれるときの頬ずりの感触や、ママの匂いや、フレアスカートのすそをひるがえして歩く歩き方や細い足首や、ウォークマンにあわせてロッド・スチュアートを口ずさむ声なんかを。

ママの部屋は、ママの気配がした。なんとなくだけれど、でも、濃《こま》やかに。

＊

北の丸公園は、信じられないほどあの日のままだった。門も、ゆるやかな坂も、しっとりとつめたい、豊かな緑の匂いも。展望台のベンチでくつろいでいる昼休みのＯＬさえ、寸分違わないように思える。

あの日、私とあのひとはここで別れたのだ。

――かならず戻ってくる。

蒸し暑い夕方だった。あのひとの目も声も腕も、すべてが痛いほど誠実で、うたがう余地なんてなかった。真実はいつも一瞬のものだ。

――かならず戻ってくる。そうして、俺はかならず葉子ちゃんを探しだす。どこにいても。

どこにいても。あのひとはそう言った。

ゆうべ草子と電話で話した。

――美保子ちゃんに会ったよ。果歩ちゃんにも。

草子はそんなことを言った。

――ママの子供のころの話きいちゃった。

そばに父や母がいたのであかるい声をだしていたけれど、私が、居心地はどう、と訊くと、返答につまり、

――まだ来ないの？

と、訊き返した。たぶんひどく気づまりな、心細い思いをさせている。

――もうすぐよ。

私は言った。

——アパートは決めたの。あした桃井先生に会って話をしたら、迎えにいくからいったん一緒に逗子に帰りましょう。荷づくりをして、あっちのアパートをひき払わなきゃ。

草子は黙り、それから、

——桃井先生に会うの？

と、訊いた。

——大丈夫？

大丈夫よ、とうけあったけれど、真昼の北の丸公園で、さっきから私はだらしなく逡《しゅん》巡《じゅん》している。

私たちの住んでいた部屋には、ちがう表札がかかっていた。そこから歩いてすぐの、先生のお母さんの住んでいた家にまわると、表札はもとのままだった。ふるい、小さな日本家屋。

——はい。

でも、インターフォンごしにきこえた声は、先生のものでもお母さんのものでもなかった。私は逃げだしたくなるのをかろうじてこらえた。

——野島と申しますが、桃井先生は御在宅でしょうか。

気が遠くなりそうだった。この戸を何度くぐったことだろう。庭にみかんの木と水道があり、縁側には箱が積み重なっていた。玄関まで飛び石が続き、戸の外側に傘立てがあった。

――少々お待ち下さい。

意志と関係なく記憶がよみがえり、私は足がすくんだ。私と桃井先生の、奇妙な、でも不幸ではなかった結婚生活の断片。

サンダルばきの足音がした。門があき、目の前に桃井先生が立っていた。

「おどろいたな」

先生は見事に髪の毛を失っていたけれど、かくしゃくとしていた。

「おひさしぶりです」

私は丁寧に頭を下げた。

「おどろいたな」

先生はもう一度言った。

入ってすぐの洋間で、先生の好みの、酸味の強いコーヒーをごちそうになった。コーヒーを運んできた三十代後半らしい女の人は、先生に「家内です」と紹介された。お母さんは「十年も前に」亡くなったそうで、私は仏壇にお線香を上げた。

「それで、どうしていました？　お子さんはお元気？」

先生は、お子さん、と言った。新しい奥さんの手前そう言ったのか、草子の名前を忘れてしまったのか、わからない。

部屋は窓があいていて、風がなく、それでも不思議とひんやりしていた。

「それにしてもおどろいたな」

このひとは学生の時分から突飛な女性でね、と、先生は奥さんに説明した。

「あなたも知っての通り、いっとき僕らは夫婦だったわけだけども、ある日忽然《こつぜん》と消えちゃってね」

私は微笑《ほほえ》んでいるのがやっとだった。十六年。それはこんなにもながい時間だったのだ。

許してもらおうと思っていた。先生に会って、東京に戻ることを許してもらおうと思っていた。

もう、いいから。

酸味の強いコーヒーを飲み下しながら、私は父の言葉を思いだしていた。

「ああそういえば、随分前にあの男がここに来たよ。なんていったかな」

玄関で、ついでのように先生が言い、靴をはきかけていた私は心臓が凍りついた。

「いつごろですか？」

こたえたのは奥さんだった。

「十年以上前です。まだお義母様《かあ》が生きてらしたころだから」

「きみを訪ねて来たんだけどね、きみは行方知れずだったから」

十年以上前。

私は目をつぶり、なんとか思考を中断した。いまは考えてはいけない。

「突然おじゃましてすみませんでした」

頭を下げた。

十年以上前。あのひとは戻ってきたのだ。ここに。私を探しに。それで？　それでどこにいったのだろう。

＊

ママとあたしは逗子に帰った。

逗子はなつかしく、広さや便利さもちょうどよく、食べ物もおいしかった。あたしたちは駅前の魚屋でおさしみを買って帰った。「長嶋」で、水ようかんも買って帰った。

東京や、ママの実家やママの両親について、ママは質問を一つしかしなかった。

「気に入った？」

というのがそれだ。あたしは正直に、

「わかんない」

とこたえた。ママはわらって、

「それはそうよね、会ったばかりだものね」

と言い、

「無理に馴染《なじ》まなくてもいいのよ」

とも言った。

あたしたちは夏じゅうかけて、すこしずつ、ゆっくり荷づくりをした。ときどき『ハル』に顔をだして、ごはんを食べたりお茶をのんだりした。

天気のいい朝は、海岸に散歩にいった。

昼間、ママは荷づくりをさぼってよくピアノを弾いた。弾きながら泣いていることもあった。

「人生は苛酷《かこく》だなと思って」

夜になって理由を訊くと、ママはそんなことを言った。淋《さび》しそうに、でも笑顔で。

「でも前に進まなきゃ」

あたしが言うと、ママは、

「ライト」

と、こたえるのだった。淋しそうに、でも笑顔で。

八月の終りにあたしは寮に帰った。

帰ってすぐに、ママに手紙を書いた。こういう手紙だ。

ママ。元気ですか。夏休みはたのしかったね。あたしは、ママが東京に戻ってくれてよかったと思います。東京の人たちは、みんな親切だったよ。

これからは、どうか新しい人生を生きて下さい。ママは美人だし、これから恋人ができるかも。

お休みには帰ります。元気でね。草子より。

追伸　ママもあたしの宝物です。

＊

そうやって、私は東京に帰った。

何のために朝起きるのか、何のためにごはんなど食べるのか、何のために働いたりするのかあいかわらずさっぱりわからないまま、もう一度あのひとに会うためだけに生きている。草子に叱《しか》られるとしても、あのひとをかなしませるとしても、ほかにどうしようもないのだ。

仕事は、懐石料理屋のフロア係と、安っぽいステーキ屋のピアノ弾きをしている。東京に戻ってまずおどろいたのは、家賃の高さだ。

もう、いつ死んでしまってもかまわないと思う。心から。

休みの日は、たまに実家に顔をだしている。そこにあるものは私の過去ではなく、誰か他の人の思い出のようだ。たとえば父の。たとえば母の。あるいはとうに死んでしまった私の。

夜はたいていお酒をのんですごす。あの店がまだおなじ場所にあるのは奇跡のようだ。昔、あのひととシシリアンキスをのんだ店。すべてはあそこから始まったのだ。

ピアノは仕事場でしか弾いていないし、ロッド・ステュアートはもう聴くことができない。かつてお守りだったそれらのものたちは、この街ではただのごまかしのように思える。音楽はもう私の味方ではないし、草子は遠くにいってしまった。

いつ死んでしまってもいい、というよりも、はやく死んでしまいたい、という方が、もうすこし正直な言い方かもしれない。

懐石料理屋のフロアでは、私は和服を着て働いている。

＊

ママの両親から、よく宅配便が届く。中には本や、きんつばや果物が入っている。

あたしは美術部とかけもちで、英語弁論部にも入った。美術部の美女は、二年生で進藤さんという名前だ。

ママは夜電話をしても絶対につかまらない。お休みの朝にかけると、死人みたいな声ででる。

——ママ？

まずあたしが言い、そうするとママの方から、元気なの？　と訊くのだけれど、あたしがおなじことを訊いたあと、ママが、元気よ、とこたえても、そこには全然信じられる理由がない。

——体育祭があるの、みにくる？

このあいだの電話であたしは言った。

——そうね、たぶん。

それはまるでママらしくない返事だったし、あたしはなんだか怖くてたまらない。

＊

死は、やすらかなものとしてここにある。いつでも。

ジン・トニックをのみながら、私は毎晩それについて考える。

――いつか俺たちが死んだら、水になるね。

骨ごと溶けるような、私の体とあのひとの体のあいだに皮膚なんて存在しないみたいな烈《はげ》しくすばらしいセックスのあと、あのひとはよくそう言った。

――こうやって抱きあったまま、水になって流れていく。

――川みたいに？

――そう。川みたいに。

――抱きあったまま？

――そう。絶対に離れない。

手も足もからめたまま、川みたいに。

それは、とても単純なことに思えた。とても単純でとても正しい、この上なく安心なことに思えた。

いつか私たちが死んだら――。

グラスの中のジン・トニックは、ひかえめな明かりの中で、夜の川のようにみえる。森の奥を流れる清冽《せいれつ》な川。

いつか私たちが死んだら――。

ドアがあいたとき、私には、振り向いてみる必要はなかった。店の中は暗く、混んでいて音楽もきこえ、足音とか気配とか、そういうものはかき消されてしまう。それよりももっとずっと強いもの、個体としての、温度、のようなもの、力、のようなもの。

あのひとだ、と、わかった。

きのうも会い、約束をして、一日別な場所で働き、約束どおりきょうも会う、それほどの自然さで、ああ、あのひとだ、と、そう思った。

信じられない、と思ったのか、やっぱり、と思ったのか、区別がつかない。

あのひとはゆっくり近づいて、私のうしろに立ち、右手でそっと、私の右頰にさわった。

「ひさしぶり」

穏やかな、なつかしい、私を骨抜きにする、いつもの声だった。

私は首をほんのすこし右に傾け、あのひとの指を皮膚でたしかめようとした。感情は伴わなかった。顔をみることもできなかった。

「信じられない」

つぶやいて、私は自分がそう思っていることがわかった。

「俺も信じられない」

あのひとは言い、私たちは互いの声がふるえていることに気づいた。同時に気づき、同時に気づいたことにも、同時に気づいた。いつもそうなのだ。どうしてかはわからないけれど。

言葉をみつけるまでに一年はかかりそうだった。安心して泣くまでにもう一年、首に腕をまわして抱きしめるには、さらにたぶん一年かかる。

でも、次に気がついたとき、私の右手は、隣に腰掛けたあのひとの左膝《ひざ》の上で、あたたかな手にきっちりと包まれていた。いつものように。

あとがき

海に出るつもりじゃなかった。

これはアーサー・ランサムの小説のタイトルですが、人生にはそういうことがときどきあって、「彼女」の人生もたぶんそんなふうにして、それまでの生活から切り離されてしまったのだろうと思います。

海に出るつもりじゃなかった。

誰かを好きになると、いつもそうです。

「彼女」には娘がいて、彼女たちはもう何年も旅をしています。放浪する母と娘の話です。いやはや。

でも、もしそれが神様のボートなら、それはやっぱり、どこかに舫《もや》われているべきではない。

私はそう思いました。それで綱をときました。ボートがどこに着くにしても。

はじまりは一軒のバーでした。

あの日、あのバーで、倒れるほど甘い金色のカクテルをのまなかったら、この小説は生まれませんでした。

いくつもの町を取材できてたのしかったです。

小さな、しずかな物語ですが、これは狂気の物語です。そして、いままでに私の書いたもののうち、いちばん危険な小説だと思っています。

一九九九年　初夏

江國香織

解説

山下明生《はるお》

江國香織の話になると、ついつい、やにさがってしまう。たまたま、『神様のボート』にはさんでいた広辞苑の栞《しおり》に、やにさがるの例文があり、「気取って構えたり、得意げになってにやにやしたりするさま」というふうに説明しているが、まさにそれである。「エクニね。あの子を最初に認めたのは、このオレなんだよ」なんて、やにさがるのである。「ま、オレといっても、オレたち。〈小さな童話〉大賞の選考委員をしていたオレと、今江祥智《よしとも》、落合恵子、工藤直子の面々だけど」と、あとでトーンダウンするとしても。

児童文学から出発して、あれよあれよという間に若い女性のあいだで爆発的人気を博している江國香織は、映画にもテレビにも進出し、今や社会現象状態なのだ。われらおじさん族にとっても、エクニを知っているというのはステータスである。

「ホントよ。エクニといっしょに沖縄へも外国へもいったんだから。いっしょにボートにも乗ったし、いっしょに朝まで飲んだし、いっしょにホテルにも泊まったし、そうそう、同じ風呂《ふろ》にもはいったさ」
それがすべて、グループ交際だったことは伏せながら、飲み屋での話は盛り上がり、おじさんの目尻《めじり》はやにさがる。

*

一九八七年、毎日新聞社主催の〈小さな童話〉大賞によせられた四千ほどの応募作品の中で、江國香織の「草之丞《くさのじよう》の話」は抜群だった。十数枚の短いお話だったが、ゆたかな物語の才能が缶詰のイワシのようにつまっていた。当然のように「草之丞」はその年の大賞に選ばれた。それだけでこの賞を設けた意義があったと思えるほど、完璧《かんぺき》な短編だった。

当時まだ、児童書の出版社あかね書房に籍をおいていた私は、さっそく六本木で江國さんと会い、書き下ろしの創作を依頼した。いかにも良家の子女という感じの江國さんは、あの澄んだ声で、これから書きたい作品の話をさわやかにしてくれた。

その直後に彼女はアメリカに留学し、一年ぶりに帰ってから、あかね書房に、『こうばしい日々』というアメリカ生活を彷彿《ほうふつ》とさせる原稿を寄せてくれた。うれしいことにこの作品は、九一年度の産経児童出版文化賞、九二年度の坪田譲治文学賞を受け、その後彼女は、それこそ〈神様のボート〉に乗ったように、『きらきらひかる』で紫式部文学賞、『ぼくの小鳥ちゃん』で路傍の石文学賞と、矢つぎばやに大きな賞をゲットしていくのである。

まだ、今のような超売れっ子ではなかった江國さんは、われわれともよく遊んでくれた。われわれとは、私が勝手に灰谷軍団と名づけている、作家の灰谷健次郎さんとその一派である。ご存知の人も多いだろうが、沖縄渡嘉敷島《とかしき》の灰谷邸は、美しい入り江を見下ろす丘の中腹にホテルのように建っている。二十四時間はいれるジャグジーつきのお風呂から、満天の星が見えるのが自慢だ。その新灰谷邸の最初のゲストとして、江國さんと友人と私が招待された。

「その人の素顔を知りたければ、いっしょに旅をするといい」とはどこかの国の諺《ことわざ》だが、その旅行で、私は江國香織の意外な一面を知ることとなる。

その一つは、風呂好きである。普段も平気で二、三時間ははいるらしい。推理作家アガサ・クリスティも、何時間も風呂につかり、リンゴをかじりながらアイデアを練ったというから、彼女のお風呂もアガサばりだ。

灰谷邸で江國さんは、われわれが寝静まったあとで、ゆっくりと入浴していたようだ。窓を開けて、星などながめながら。

翌朝、私が風呂にはいると、四つの風呂桶《ふろおけ》がどれも伏せてあって、どれにも生きたカナブンが閉じ込められていた。

不思議に思ってきいてみると、犯人はやはり江國さん。「窓から飛びこんできた虫がこわかった」というのが理由だった。手でつかまえるのがいやだから、桶でおさえこむところが並ではない。

夜の外食から帰ってきたときも、「わっ、すごい星!」と、やにわに道路のまん中に大の字に寝ころんで、星をかぞえはじめた。「車がきたらあぶないでしょう」と、いそいで起きていただいたが、まるで幼児みたいに無防備なのだ。

軍団に同行してベトナム旅行をしたときも、帰国間際《まぎわ》に「部屋の金庫に貴重品など忘れてはいないでしょうね」と念をおすと、「あっ」と声をあげて中からパスポートを取りだした。

かと思うと、仲間のモーターボートでクルージングをしたときは、デッキを大波が洗って悲鳴と奇声がとびかうなかで、彼女だけはタオルで肌をガードしながら、〈神様のボート〉にでも乗っているように平然としていた。

いっしょに旅してもいっしょに飲んでも、江國さんは飽きさせない。おっとりとひかえめにふるまっているだけだが、不思議と華やかな存在感がある。

江國さんは、人の話をきくのが上手でよく笑う。酔っぱらうと愉快になる。映画のワンシーンみたいに深夜のセンターラインを踊りながらあるいたりもする。

本書を読んでもわかるように、江國さんは音楽にも絵画にも料理にもファッションにも、もちろん文学にもやたら詳しい。理知的でちょっとちかづきがたいほどである。そんな彼女がときどき見せる稚《おさ》ないキャラは、こちらをほっとさせてくれる。江國さんの中には、成熟した女性と幼稚な子どもがいっしょに住んでいるようだ。

*

葉子と草子というふたりの主人公が、母親と娘の立場から交互に物語るスタイルの『神様のボート』は、大人と子どもの両方の感性をバランスよくもっている人間にしか書けない作品である。江國さんは、そのむずかしいハードルを見事にクリアしている。

読みはじめたとたん、私はかつて自分が担当した乙骨淑子《おつこつよしこ》さんの『十三歳の夏』の冒頭、「知らない町には、知らない町のにおいがある」という文章を思い起こした。『十三歳の夏』は小岩と鎌倉の二つの町を舞台にしているが、この『神様のボート』は、まるで小林旭《あきら》の演歌みたいにつぎからつぎへと知らない町を流れ流れる。「すぎたことはみんな箱のなかに入」れながら。去っていった男の最後の約束の言葉を信じて。かなり非現実的な設定ではあるが、この母と娘は、ひたすら真面目《まじめ》にそれぞれの役回りを演じていく。

読みすすむにつれて、今江祥智さんの『優しさごっこ』のいくつかのシーンがよみがえった。お互いに精一杯の優しさを発揮しながら、親ひとり子ひとりという最小単位の家族を生きていくふたり。

ただ『十三歳の夏』も『優しさごっこ』も児童文学のジャンルにおさまるが、『神様のボート』はそうとはいいきれないものがある。かといって大人の小説ともきめつけがたい。大人の目線と子どもの目線の二台のカメラで撮影された複眼の文学なのだ。つまり、若い読者なら草子に同化しながら成長物語として読み、年配の読者なら葉子の立場で恋愛小説として読むことができる。その二者のギャップが、物語がすすむにつれてしだいにひろがり、作品の緊迫感と危機感をもりあげていく。

『神様のボート』は、江國作品の中でも最高傑作の一つだという評判が高いが、私にはそれほど大層な作品とは思えない。いや、つまらないという意味ではない。メインディッシュではないという印象。コース料理のはじめにでてくるアントレとか最後を飾るデザートとかいった、軽めで好ましい味わいなのである。

たとえば『優しさごっこ』のとうさんは、理想の父親役を演じようと奮闘するが、『神様のボート』の葉子には、そのような使命感は感じられない。まっすぐ自由に自分を生きようとする。運命のボートに身をまかせ、タバコとコーヒーとチョコレートの香りにつつまれながら。

だいたい、江國作品は理想を説かない。天下国家も論じなければ、教訓もたれない。修羅場もなければ、愁嘆場もない。水のようにきらきらとなめらかなのだ。そこにあるものをそこにあるように、淡々と書いているように見える。

読者は、この心地よさにさそわれて、しだいしだいに作品の深みにひきこまれていく。そして気がつくと、「私は目をとじて街の匂《にお》いをすいこんだ。なにもかも夢だったような気がした。逗子も高萩も川越も、草加も今市もなにもかも。それどころか草子の存在さえ」というような仄《ほの》かな喪失感の場に立たされているのである。ちょっと悲しくちょっと切なくちょっと妖《あや》しくちょっと愉《たの》しくちょっと危ういエクニ・ワールドに。

ちなみに、江國香織の新しい短編集は『泳ぐのに、安全でも適切でもありません』という題名だ。彼女はこの水際立った一冊で、今年度の山本周五郎賞を射止めた。エクニ・ワールドには、つねに水の匂いがただよう。「ファンタジーとは、作者と読者が同じ船に乗ることだ」といったのは、『クマのプーさん』の作者A・A・ミルンだったと記憶しているが、江國香織もまた、読者を〈神様のボート〉に乗せて、安全でも適切でもない人生の彼方《かなた》ハルダウンに誘いだす。

（平成十四年五月、児童文学作家）

この作品は平成十一年七月新潮社より刊行された。

神《かみ》様《さま》のボート

新潮文庫　え-10-9

平成十四年七月一日発行
令和六年八月二十五日　二十六刷

著者　江《え》國《くに》香《か》織《おり》

発行者　佐藤隆信

発行所　株式会社　新潮社
郵便番号　一六二―八七一一
東京都新宿区矢来町七一
電話　編集部(〇三)三二六六―五四四〇
　　　読者係(〇三)三二六六―五一一一
https://www.shinchosha.co.jp

価格はカバーに表示してあります。

乱丁・落丁本は、ご面倒ですが小社読者係宛ご送付ください。送料小社負担にてお取替えいたします。

印刷・大日本印刷株式会社　製本・加藤製本株式会社

ISBN978-4-10-133919-1 C0193